Sixtine

ON REGRETTERA PLUS TARD

AGNÈS LEDIG

ON REGRETTERA
PLUS TARD

roman

ALBIN MICHEL

À Emmanuel, l'homme de ma vie, l'encre de mon livre, qu'il écrit avec moi depuis plus de vingt ans, et avec qui j'espère partager jusqu'à l'épilogue...

À Olivier, mon meilleur ami, le frère de cœur qui sait subtilement me dire où j'en suis... Un peu mon marque-page...

Dimanche 13 juin 2010
Un soir d'orage

Je suis courageuse, mais quand même.

En pleine nuit d'orage, entre tonnerre et pluie battante, ces coups violents contre la porte d'entrée étaient dignes d'un scénario de film d'horreur. Après avoir sursauté sous ma couverture de laine, je dois réfléchir rapidement. Le visage de Jack Nicholson dans *Shining*! C'est la première image qui me vient : il est derrière cette porte. Ma porte! Qui d'autre que lui aurait eu l'idée d'emprunter le chemin qui mène à notre petit village en pleine nuit et par un temps pareil ? Mais je ne peux décemment pas rester là sans rien faire et prendre le risque de retrouver un mort sur mon paillasson demain matin sous prétexte que j'aurai eu la trouille d'ouvrir ma porte à un comédien de cinéma. Pour frapper ainsi, c'est peut-être quelqu'un qui a besoin d'aide. Un psychopathe entrerait en scène plus subtilement, non ?

Quoique!

Quoique, je vais quand même chercher la poêle en fonte à la cuisine, celle que j'arrive à peine à soulever d'une main, et, après avoir respiré profondément, j'entrouvre la porte avec précaution, l'ustensile en l'air, prêt à s'abattre sur Jack.

– Aidez-moi !

Un homme se tient devant moi, une fillette recroquevillée dans les bras. Ils sont trempés. Il m'implore du regard et n'a rien d'un acteur américain. Soudain ridicule avec ma poêle en fonte, je la pose au sol et j'ouvre grand la porte pour les faire entrer.

– D'où sortez-vous comme ça ?

– J'ai besoin d'aide. Elle est bouillante. Je n'ai plus d'abri pour elle ni de médicaments.

– Posez-la sur le canapé, juste là, lui dis-je en repoussant la couverture et le livre que j'étais en train de lire.

Je commence à la défaire de ses vêtements mouillés et froids, qui lui collent à la peau, puis je pose mes lèvres sur son front, une habitude prise avec mes élèves. Elle est effectivement brûlante. Je demande à l'homme d'aller chercher une serviette éponge à la cuisine pour sécher ses cheveux, tout en l'emmitouflant nue dans la couverture et en la frictionnant pour la réchauffer. La petite grelotte, le regard dans le vague, proche de l'inconscience.

– Je vais appeler le médecin. Il n'habite pas très loin, il viendra vite.

– Merci.

– Comment s'appelle-t-elle ?

– Anna-Nina.

– Elle a quel âge ?

– Sept ans.

– Vous voulez des vêtements secs pour vous changer ?

– Je dois aller mettre les chevaux à l'abri.

– Quels chevaux ?

– Mes chevaux.

Et là, je fais le lien avec la roulotte que j'ai vue arriver il y a deux jours et stationner sur le chemin un peu plus haut. C'était donc eux.

– Allez sonner chez le voisin, il s'appelle Gustave, il est de l'autre côté de la cour, il y a encore de la lumière chez lui, lui dis-je en jetant un œil par la fenêtre. Précisez-lui que vous venez de ma part et qu'il faut mettre des chevaux à l'abri à cause de l'orage.

La petite a fermé les yeux et tremble dans son demi-sommeil. Je lui ai recouvert la tête avec une serviette, et me suis assise à côté d'elle pour appeler le médecin.

– Claude ? C'est Valentine. Pardon de t'appeler si tard. J'ai besoin que tu viennes à la maison, pour une petite fille qui a une forte fièvre. Ne me pose pas de questions, je n'aurai pas les réponses.

– C'est qui cette petite fille ?

– Claude, pas de questions. Elle a sept ans, elle s'appelle Anna-Nina, et je n'ai rien à la maison pour soigner un enfant de cet âge. Tu as le nécessaire ?

– J'arrive. Le temps de monter. Tu as vu la météo ?

– Évidemment. C'est un peu pour ça qu'elle est là, je crois.

– C'est la première fois que tu me fais le coup de la fièvre du dimanche soir !

– C'est la première fois qu'on me fait le coup de Jack Nicholson !

– Je n'aime pas tes mystères ! J'arrive.

11

Anna-Nina somnole, seulement dérangée par le tonnerre qui gronde encore trop régulièrement. J'entends les hommes crier dans la nuit pour s'entendre, tant les éléments se déchaînent. Je m'approche de la fenêtre et les aperçois manœuvrant la roulotte pour l'installer dans un coin de la cour. Une probable prouesse technique avec de tels chevaux, immenses, nerveux et apeurés. La pluie est toujours aussi intense et des rafales de vent agitent les branches des arbres alentour qui fendent l'air comme des centaines de sabres. Les éclairs réguliers me donnent une image stroboscopique de leurs mouvements. Personne n'oserait sortir pour affronter cette nature ingrate et violente qui ne semble concéder aucun répit aux hommes, s'il n'y avait pas cette urgence à mettre les animaux à l'abri. Le courage ne vacille que dans les moments où la faiblesse est permise. Elle ne l'est pas ce soir. Je monte à l'étage et me précipite dans la chambre du fond, où sont encore entreposées quelques affaires de mon grand-père. Il était un peu plus petit que cet homme, mais cela fera l'affaire en attendant que ses vêtements sèchent.

Quand je redescends, il est dans l'entrée avec Gustave, une petite flaque à leurs pieds. Gustave m'explique qu'il a sorti ma voiture pour mettre les chevaux dans la grange qui me sert de garage, et qu'il verra tout ça demain matin, quand le temps se sera calmé. J'espère seulement qu'aucun arbre ne tombera sur la Clio, j'en ai besoin pour aller travailler. Gustave me fait ensuite signe qu'il rentre se changer et dormir. Le père de la petite le remercie chaleureusement d'une poignée de main vigoureuse, mais sans sourire. Il doit être bien trop inquiet pour cela.

– Je vous ai trouvé des vêtements secs. Ça date de mon grand-père, mais ça devrait vous aller à peu près.

– Merci.

– Je ne sais même pas comment vous vous appelez.

– Éric Duval.

– Valentine Bergeret. Vous avez une salle de bain au bout du couloir, prenez une douche bien chaude, si vous voulez. Il ne faudrait pas que vous tombiez malade vous aussi.

– Comment elle va ?

– Elle s'est endormie. Le médecin ne devrait pas tarder.

– Merci pour tout.

– Arrêtez de me dire merci. C'est normal. Je n'allais pas vous laisser dehors.

– Merci quand même.

Puis il disparaît dans la salle de bain. J'entends couler la douche, en même temps que la voiture du médecin qui avance sur les graviers. Il a roulé vite, malgré la pluie. Mes mystères au téléphone, comme il dit, ont vraiment dû l'inquiéter.

J'entrouvre la porte pour être prête à le faire entrer sans attendre. La distance entre sa voiture et mon perron suffit à le mouiller lui aussi, malgré la veste qu'il a tenté de remonter sur sa tête. Il se dirige immédiatement vers la petite fille, allongée sur le canapé.

En posant sa main sur son front chaud, il la réveille. La peur et, probablement, la forte fièvre suffisent à la faire hurler. J'essaie de lui prendre la main et de lui sourire mais elle continue à appeler son père, paniquée. Il arrive en courant, dégoulinant, une simple serviette autour de la taille. Il prend sa tête entre ses mains et lui explique qu'il reste là, que le médecin est venu s'occuper d'elle et qu'elle doit se laisser faire.

— Depuis quand a-t-elle de la fièvre ?

— Depuis deux jours.

— Vous lui avez donné quelque chose ?

— Du paracétamol, mais depuis hier soir, le flacon est vide et, avec la météo, je n'ai pas pu aller à la pharmacie.

— D'où sortez-vous ? lui demande Claude, un peu nerveux.

— Nous sommes de passage. C'est grave ce qu'elle a ?

— Je pense à une bronchite. Il ne faudrait pas que cela se transforme en pneumonie. J'ai un doute à l'auscultation des poumons. Je vous laisse un antipyrétique pour faire baisser la fièvre dès ce soir, les antibiotiques, vous irez les chercher demain à la pharmacie. Vous pourrez ?

— J'irai, lui dis-je. Je passe devant la pharmacie en allant travailler.

— Vous avez une carte vitale ? poursuit Claude en s'adressant à l'homme.

— Oui, bien sûr. Mais il faut que j'aille la chercher. Elle est dans mon véhicule. Laissez-moi le temps de m'habiller et je…

— Non, non, ça ira. De toute façon, je reviendrai dans deux jours pour voir comment ça évolue, on verra tout ça à ce moment-là. Je vous laisse. Prenez bien soin d'elle.

— C'est ce que j'ai toujours fait.

— Je n'en doute pas, précise Claude.

Bien sûr que si, il en doute. Je le connais depuis trop longtemps pour ne pas comprendre les pensées tapies derrière son attitude stoïque. Il repart aussitôt en courant jusqu'à sa voiture, non sans m'avoir au préalable lancé un regard suspicieux. Je sais ce qu'il pense. Il est contrarié à cause des mystères non élucidés, en dehors de l'origine de la fièvre. D'un autre côté, c'est pour ça qu'il est venu. Et puis, j'en suis à peu près au même point que lui dans l'ignorance. Tout est allé si vite.

La chambre d'amis

J'ai attendu qu'Anna-Nina s'endorme pour retourner dans la salle de bain et finir de m'habiller. J'avais finalement séché dans l'air ambiant.

La femme qui nous accueille est partie préparer la chambre d'amis, sans poser aucune question. Je lui ai précisé que je préférais dormir avec Anna-Nina cette nuit, pour veiller sur elle et la rassurer.

Elle revient de l'étage, en dévalant les escaliers.

– Voilà, c'est prêt, lit *king size*, que mon arrière-grand-père a fabriqué lui-même, vous devriez y être bien.

– Merci pour tout. Je vais la porter jusqu'au lit.

– Je vous montre le chemin.

J'installe ma puce dans le grand lit aux draps fleuris qui sentent bon le frais, et je la borde de la couette légère que Valentine a installée. Elle est déjà redescendue et Nanie ne s'est même pas réveillée pendant qu'on la déplaçait. Je retourne au rez-de-chaussée. Personne. Je décide de faire un saut pour voir les chevaux, vérifier qu'ils ne mettent pas la pagaille dans la grange, et pour récupérer cette fameuse carte vitale. Il pleut toujours des cordes. Nous n'aurions pas tenu dans la roulotte au toit éventré. Je fais au plus vite pour retourner dans cette grande bâtisse solide où nous sommes accueillis.

La femme est assise à la table de la cuisine, un bol de tisane fumante entre les mains.

– Vous voulez boire quelque chose de chaud ?

– Non, ça ira, je ne vais pas vous embêter plus long-temps. Vous faites déjà beaucoup pour nous.

– J'aurais aimé comprendre.

– Comprendre quoi ?

– Votre arrivée soudaine, votre situation, la roulotte, votre fille, votre vie.

– Je ne voudrais pas que la petite se réveille seule dans un grand lit qu'elle ne connaît pas.

– Même pas un minimum ?

– Notre vie n'est pas facile à réduire à un minimum. Pardon. Je vais veiller sur elle.

– Bon. Vous m'expliquerez demain… Dormez autant que vous voulez, et préparez-vous un petit déjeuner en fouillant dans les placards. Si vous avez besoin de quelque chose que vous ne trouvez pas, il y a toujours Gustave.

– Vous ne serez pas là ?

– Je travaille.

– Vous faites quoi ?

– Institutrice. J'ai pris l'ordonnance et je vois que vous avez votre carte de santé. Je vous l'emprunte, je rapporte les antibiotiques après seize heures.

– C'est très gentil de votre part, je ne sais pas comment vous remercier.

– Avais-je le choix ?

Je lui souris vaguement. J'aurais fait pareil. Probablement. Je lui souhaite une bonne nuit et m'éclipse sans autre mot, épuisé.

Aurais-je vraiment fait pareil ?

Quand je me glisse dans le lit, la chaleur de la fièvre flotte sous les draps, mais la petite respire paisiblement. En posant ma main sur son front, je constate qu'elle retrouve doucement une température décente. Soulagement. Je m'allonge sur le dos, et mes yeux grands ouverts ne m'offrent que les quelques vagues lueurs du dehors, générées par le dernier lampadaire au loin. La pluie est toujours aussi intense, mais l'orage s'éloigne. J'aurais eu du mal à trouver un tel élan de solidarité en ville. Je devais vraiment faire pitié avec ma fille dans les bras tout à l'heure. Peur aussi, puisqu'elle s'était armée d'une poêle à frire pour m'accueillir.

Dès demain, je demanderai à l'homme qui a mis les chevaux à l'abri où je peux trouver de quoi réparer le toit de la roulotte pour repartir le plus vite possible.

Même si je sens le sommeil me gagner, je veux écrire à Hélène. J'embrasse Anna-Nina et lui souffle dans l'oreille notre phrase rituelle, avant d'allumer la petite lampe de poche qui suffira pour les quelques lignes de ce soir.

Mon Hélène,

Je m'en veux. Je m'en veux terriblement, si tu savais. C'est la première fois que je ressens ce malaise. Débarquer comme ça chez une inconnue, ça ne se fait pas, surtout pour demander de l'aide. Mais avais-je le choix ? Elle aurait pu me claquer la porte au nez ; au lieu de cela, elle nous a accueillis et a pris soin de Nanie avec bienveillance et efficacité. Elle a l'habitude des enfants. J'ai eu de la chance dans mon malheur.

Je me sens coupable, tu sais ? Même si le médecin a dit que ça irait, je suis inquiet pour Nanie. Je m'en veux. Je m'en veux parfois de lui faire vivre cette vie-là, mais comment peut-il désormais en être autrement ? Elle n'a connu que ça. Tu crois que jamais je n'aurais dû partir ? Je me sens nul, mauvais père, idiot, irresponsable. Et seul. Tu me manques. Encore plus dans ces moments-là, quand j'aimerais tant m'en remettre à ton instinct maternel. Les hommes savent-ils prendre la température sur un front d'enfant avec leurs lèvres ?

Je ne sais pas ce que je ferais s'il lui arrivait quelque chose. Je crois que je ne survivrais pas.

Mais c'est inutile de penser à tout ça. De toute façon, on ne maîtrise rien dans la vie… Rien. On en sait quelque chose, hein ?

Elle dort à côté de moi. De l'entendre respirer calmement m'apaise.

Je pense à toi.

La Claquette – 2 mars 1944
Un bébé qui se terre

Le seau était au milieu de la pièce. Suzanne savait ce qui l'attendait. Elle avait peur mais ne le montrait pas. Atrocement peur. Il y avait une pierre dans son estomac. Une grosse pierre rugueuse qui pesait une tonne et l'empêchait de respirer.

Mais plutôt crever.

Plutôt crever que de les laisser gagner.

Plutôt crever que de parler.

Ils étaient venus la chercher à Solbach la nuit précédente. Ces salauds ne lui avaient même pas laissé prendre un manteau. Elle ne portait que sa longue chemise de nuit en lin épais et son gilet de laine, qu'elle avait enfilé après leurs coups violents sur la porte. Elle s'y attendait et n'avait pas cherché à fuir. Elle n'avait aucune chance de toute façon. Son gros ventre l'empêchait de courir depuis quelques semaines. Ce ventre qu'ils avaient vu mais qui ne changeait rien à leur façon de la jeter dans le camion, puis dans la cellule dont ils venaient de l'extraire pour le supplice du seau.

Elle ne dormit pas cette nuit-là. Ou alors si peu. Elle

pensait à Léon. Et à ce petit bout de lui qui poussait en elle. Pour combien de temps encore ?

Elle ne dormit pas non plus parce que le sol était dur et froid. Humide et sale. Tout comme la couverture miteuse et raide de crasse qui traînait dans un coin de la pièce sur le matelas informe qu'elle n'avait même pas approché. Des cafards y grouillaient.

La jeune femme était à genoux, les mains liées dans le dos. Elle avait un peu écarté les cuisses pour laisser de la place à son ventre. Elle se préparait. Le bébé ne bougeait plus depuis quelques heures. Il se préparait aussi probablement, sentant peut-être qu'il valait mieux se terrer.

Ils ne lui posèrent aucune question. Pas encore. Elle supposa qu'ils commençaient par le seau, un avant-goût pour la faire parler plus vite, plus efficacement la fois suivante.

Qu'ils commencent seulement, elle était prête !

Enfin elle pensait l'être.

Elle allait peut-être mourir.

Mais elle ne parlerait pas.

Je te promets Léon, je ne dirai rien.

Lundi 14 juin 2010
Quand le ciel se dégage

J'ai écouté à leur porte en passant dans le couloir. Deux respirations fortes et distinctes. Ils devaient dormir d'un sommeil profond. Durant la nuit, j'ai entendu la petite tousser quelques fois, mais rien de plus. Ma chambre d'amis était forcément plus confortable que leur roulotte au toit éventré. L'orage s'est finalement calmé un peu après minuit. Le volet ouvert de la chambre laissait entrevoir quelques éclairs encore. Et le tonnerre, de plus en plus sourd, de plus en plus long à gronder.

Gustave frappe à ma porte alors que je mange une tartine de pain avec mes œufs brouillés. Il passe me voir chaque matin avant que je parte travailler, lui qui se lève avec les poules. Il dépose la production du jour directement dans la porte de mon frigo. S'il n'était pas là, je me sentirais moins motivée pour me lever. Nous sommes réglés comme du papier à musique. Un vieux couple sans en être un.

Il m'annonce la météo du jour en enlevant ses chaussures. Il a toujours enlevé ses chaussures en entrant dans une maison. Du temps de mamie, c'était pour respecter son travail ménager, et puis, quand elle est morte, c'était pour s'éviter plus de tâches.

– Aucun arbre n'est tombé sur ma voiture ?

– Aucun ! Mais au moins, elle est rincée ! Vu son état…

– J'ai bien d'autres choses à faire avant de laver ma voiture. Et les chevaux ?

– Ils se sont tenus tranquilles.

– Il t'a parlé hier soir quand vous étiez dehors ?

– Rien du tout. On avait à faire, les bêtes étaient trop énervées et j'étais pressé de rentrer me sécher. Et à toi ?

– Non plus. C'est bizarre quand même, non ? Un homme et sa fille dans une roulotte…

J'ai baissé la voix pour ne pas être entendue, même si je sais qu'il dort profondément et que le grincement du plancher de l'étage le trahirait s'il venait à se lever.

– C'est étrange, oui. Mais de nos jours, tu sais, plus rien ne m'étonne. En tout cas, il a l'air propre sur lui.

– Mouillé mais propre.

Gustave sourit en se faisant couler son café.

– Tu me diras quand tu lui auras demandé.

– S'il daigne m'expliquer, il n'a pas l'air bavard.

– Je te fais confiance pour ça. Tu sauras bien lui faire cracher le morceau.

– Allez, en attendant, je vais aller faire cracher les leçons à mes élèves. Je lui ai dit de venir te voir s'il avait besoin de quelque chose.

Les stigmates de la tempête sont présents tout au long de la route pour rejoindre l'école. Elle était d'une rare

violence. En revanche, aujourd'hui, le ciel est particuliè-
rement dégagé et le soleil brille déjà généreusement. Les
ravines s'assécheront plus rapidement.

Cet homme et sa petite ne me sortent pas de la tête. Je
réalise soudain, avec un effroi passager, que je n'ai même
pas emporté les leçons que j'avais préparées la veille au
soir et qui sont restées sur un coin de la table. J'improvi-
serai. Ça fonctionne bien aussi dans l'urgence. Tant qu'on
n'improvise pas tous les jours.

Gaël est déjà là pour accueillir les premiers élèves et il
me fait signe de la main en apercevant ma voiture. Il y a
toujours dans son regard le petit plus qui traduit assez per-
tinemment le plaisir de me voir. Toujours. Même quand il
est triste. Surtout quand il est triste, dirais-je. La lumière
fugace d'un miroir dans le lointain qui aura croisé le soleil.
Et j'ai ce même plaisir de l'apercevoir. Même quand je
suis triste. Surtout quand je suis triste. Il est mon meilleur
ami. Mon miroir et mon soleil à la fois. Je l'embrasse et
lui annonce que je vais vite finir de préparer ma leçon du
matin. Il sourit gentiment en pensant encore une fois, je le
sais, que je ferais mieux de me poser un peu dans ma vie et
d'arrêter de prévoir cinquante choses quand je ne pourrai
en faire que trente dans une journée. Mais à trente, je m'en-
nuie. Cela dit, hier soir, je n'avais rien demandé, j'étais installée dans mon canapé avec un bon livre. Ce n'est quand
même pas de ma faute si la vie en rajoute une couche.

À l'heure où mes élèves entrent en classe, je suis fin
prête pour démarrer le cours. Sept minutes trente pour

mettre au point mon improvisation de la journée, c'est honorable, il faut l'avouer. Ils travailleront d'abord sur l'orage de la veille. Expression orale sur ce qu'ils ont entendu cette nuit, ce qu'ils ont vu ce matin, leurs peurs. Et puis je leur ferai faire une petite rédaction, sans aucun mérite pour le sujet de départ : «Quelqu'un a frappé à la porte pendant l'orage». En début d'après-midi, activité dessin ou bricolage, au choix, sur le thème de la pluie et du vent. Et comme il fait beau, nous finirons par une activité sportive dans la cour.

Sait-elle au moins lire ?

Une couche épaisse de crème

Anna-Nina dort profondément. Je me lève doucement, centimètre après centimètre, pour ne pas faire bouger le matelas. J'aimerais avoir la souplesse et la grâce d'un danseur étoile dans ces moments-là, et je me sens bûcheron. Je veux qu'elle dorme un maximum. La voiture a démarré tout à l'heure, et depuis, je n'ai pas refermé les yeux. Je vais aller préparer un petit déjeuner, la petite aura sûrement faim. Elle n'a rien mangé depuis deux jours. La fièvre aura laissé place à l'appétit, du moins je l'espère.

J'enfile les vêtements de la veille, en attendant d'en chercher d'autres dans la roulotte, j'ouvre délicatement la porte, et marche à pas de loup sur le parquet du couloir dont les vieilles planches grincent insidieusement à chaque pas.

Le soleil entre dans la pièce principale par une longue baie vitrée qui donne sur un jardin immense et un paysage incroyable en arrière-plan. C'est le paradis ici. La maison est pleine de petites babioles en bois, en terre ou en tissu, accrochées partout, de coussins colorés, de vieux meubles restaurés, donnant une jolie chaleur à l'endroit.

Deux chats dorment sur le canapé, assommés par leurs probables occupations nocturnes. Il doit y avoir tout un tas de souris dans une bâtisse comme celle-ci. Et que dire de la grange ? Des bols sont disposés sur la grande table en bois brut de la cuisine, et un petit mot repose contre l'un d'eux.

J'espère que vous avez bien dormi. Ci-dessous le numéro du médecin, si ça n'allait vraiment pas. À tout à l'heure. Pour midi, allez à la cave (la trappe est dans l'arrière-cuisine), vous trouverez forcément quelque chose qui vous tente.

Je vais commencer par un peu de beurre et de confiture sur du pain. Le lait frais que j'ai trouvé dans la porte du frigo présente une couche épaisse de crème à sa surface. Probablement du vrai lait cru. Le voisin a peut-être une vache ? Ou quelqu'un dans le village ? Je l'agite, le verse dans la casserole posée au-dessus du brûleur, et, alors qu'il chauffe, j'entends Anna-Nina m'appeler.

Les bijoux de mamie

– Et tu l'as laissé seul chez toi, sans le connaître ?

Gaël m'inquiète soudain avec sa question qui glisse sournoisement vers le reproche. Depuis le début de la récréation, je lui expose mon aventure de la veille. Avec le temps, nous avons appris avec brio à maintenir le fil d'une discussion malgré les nombreuses perturbations qu'une récréation peut générer.

– Tu crois que je n'aurais pas dû ?

– Qu'est-ce qui te dit que ce n'était pas une manœuvre pour te piller ta maison en ton absence ?

– Il avait l'air sincère.

– Ma chérie, les petites Roumaines qui font semblant d'être sourdes et muettes en quémandant un peu d'argent au pied de Notre-Dame de Paris ont aussi l'air sincère.

– Mais la petite avait vraiment de la fièvre.

– L'occasion fait le larron.

– Le toit de sa roulotte était vraiment éventré.

– Qu'est-ce qu'il ne faut pas faire pour paraître crédible.

– Je n'ai pas envie de te croire.

– Je ne suis pas en train de dire que c'est le cas, et

qu'il va partir avec les bijoux de mamie et les cuillères en argent, je te dis simplement que tu devrais être un peu moins naïve.

– Tu aurais voulu que je pose un jour de congé pour le surveiller ?

– Ah ça, certainement pas, pour me retrouver avec deux classes toute la journée ?

– Alors quoi ? Le mettre dehors ce matin ?

– Non plus. C'était trop tard.

– Ne pas lui ouvrir hier soir ?

– Éventuellement.

– Et il serait allé où avec sa fille malade ?

– Certes.

– Bon.

– OK. Tu n'as donc pas d'autre solution que de te morfondre toute la journée en attendant de vérifier s'il est encore là quand tu rentres, de même pour les bijoux de mamie et les cuillères en argent.

– Merci Gaël, tu es d'un incommensurable soutien. Merci, vraiment. De toute façon, je n'ai pas de bijoux de mamie ni de cuillères en argent.

– T'as un ordinateur, non ? Et tout ton matériel photo ? Et tes machines à bricolage ?

– Tu m'énerves !

– Allez, t'inquiète pas, tu m'as dit toi-même qu'il semblait sincère. Il a un air de Roumain sourd et muet ?

– Breton, plutôt.

– C'est quoi un air breton ?

– Il n'y a pas d'air breton, c'est pour que tu arrêtes de me provoquer avec tes suppositions débiles.

29

– Tu m'appelles ce soir. Si ta maison est vide, avec ma deux-chevaux de compétition, je n'aurai aucun mal à rattraper une roulotte.

– Rien que pour voir ça, j'aimerais que tu aies raison, lui dis-je en riant, mais il y a Gustave.

– Et il y a une trentaine d'élèves qui ont une récréation depuis plus d'une demi-heure avec tes histoires tordues de nuit d'orage.

– Je n'ai rien demandé. Ça me tombe dessus comme ça.

– C'est peut-être l'homme de ta vie, qui sait ?

Je balance mon poing dans son épaule rembourrée. Il a l'habitude. Il sait que cela clôt la conversation.

Il m'a inquiétée quand même.

En observant mes élèves se ranger devant l'escalier du bâtiment, je regarde plus attentivement les filles du niveau CE1, en pensant à la petite qui dort dans le lit de ma chambre d'amis. Elle ne va probablement pas à l'école, à voyager comme ça en roulotte avec son père. Et la mère ? Où est-elle ? Je suis toujours touchée quand je pense aux élèves qui n'ont pas une vie simple. Parents divorcés, familles monoparentales, ou certains bâtons dans les roues que la vie met en travers de leur chemin sans se demander s'ils seront assez costauds pour faire face. Mais là, il faut avouer que la barre est haute. Je lui demanderai ce soir. J'ai besoin de comprendre.

Et j'entends d'ici Gaël me dire : « S'ils sont encore là quand tu rentres ! »

Gnagnagna.

Vendredi ou la Vie sauvage

Nanie était encore faible en se levant, mais la fièvre l'avait enfin abandonnée. Elle a pris un petit déjeuner frugal puis est allée s'allonger sur le canapé, entourée des deux chats conviviaux venus instantanément se lover contre elle. Pour son plus grand plaisir, et, manifestement, le leur. Je les laisse ronronner tous les trois le temps d'aller chercher quelques affaires dans la roulotte.

En sortant de la maison, je croise un gros chien, sans savoir s'il appartient à notre hôtesse ou à son vieux voisin. Le fait de sortir de la maison et non d'y entrer m'aura épargné ses aboiements dissuasifs. Le danger vient de l'extérieur, c'est bien connu. Il est venu vers moi en remuant la queue et en quémandant quelques caresses, obtenues facilement, je dois l'avouer. J'ai toujours aimé les animaux de compagnie, et j'ai plusieurs fois été tenté, pour le bien-être d'Anna-Nina, d'en prendre un avec nous, mais c'eût été trop compliqué à gérer.

La roulotte est sacrément endommagée. Je fais au plus vite, mais il me faudra trier quelques affaires. Certaines sont fichues. L'eau peut faire de gros dégâts. J'espère que rien de précieux n'est abîmé. Les vêtements sont humides. La machine à laver que j'ai aperçue dans l'arrière-cuisine va me permettre de mettre un peu d'ordre dans tout cela. Avec le soleil d'aujourd'hui, ça sera sec ce soir.

Quand je retourne dans le salon, Anna-Nina est plongée dans un livre. Il y en a des dizaines dans l'immense bibliothèque du salon. Elle a pris *Vendredi ou la Vie sauvage*, probablement pas par hasard. Je l'avais lu au collège. Il m'avait marqué. Je me souviens encore du sentiment de liberté que j'avais éprouvé, ne serait-ce que parce que j'avais cette certitude, après la lecture des quelques données pratiques, que si je me retrouvais perdu dans la forêt ou sur une île, je survivrais. Je me souviens aussi de l'importance symbolique du lien à l'autre dans ce roman.

Je l'embrasse, elle me sourit en levant les yeux du livre pour en tourner la page, puis y replonge à nouveau.

Après avoir programmé le lave-linge, je profite d'être juste à côté de la trappe pour descendre à la cave et trouver de quoi préparer à manger à midi.

L'escalier est minuscule et je dois me contorsionner pour faire passer mon mètre quatre-vingts dans le minuscule espace. Je tâtonne à la recherche de la lumière avant de la trouver enfin. Et là, je reste ébahi par le spectacle. Devant moi s'étend une magnifique cave voûtée, éclairée par trois lampes au plafond, réparties sur toute sa longueur. Le long des deux murs, des étagères sont garnies de conserves. Des centaines de conserves. Je ne tiens pas complètement debout, et j'avance penché en avant, en découvrant ce trésor. Robinson et Vendredi ne vont pas mourir de faim ce midi. Il y a là des confitures à n'en plus finir, des conserves de fruits divers et variés, des légumes en tout genre, des plats tout préparés qu'il n'y a plus qu'à réchauffer. Des carottes et des pommes de terre dans du sable, du vin et des jus de fruits. En effet, je devrais trouver mon bonheur.

J'opte pour un plat complet. De la viande, qui ressemble à du bœuf, des légumes variés. Avec une tranche de pain, ce sera parfait. Ça me gêne de puiser ainsi dans ses réserves, mais elle me l'a proposé, et puis, Nanie a besoin de retrouver des forces. J'offrirai un joli bouquet à notre hôtesse en repartant d'ici.

Je le mets à chauffer à feu doux en ressortant de la caverne d'Ali Baba avec une légère sensation d'être un voleur, et je range un peu la cuisine avant de monter mettre de l'ordre dans la chambre à coucher. Je couvre d'un plaid ma fille qui s'est endormie sur le livre. Ni elle ni les chats n'ont bougé d'un poil. Elle tousse encore beaucoup. Pourvu que les antibiotiques agissent rapidement.

3 mars 1944
La poupée de chiffon

Elle ne parla pas la veille.

Elle ne parlerait pas ce jour-là non plus.

Deux hommes vinrent la chercher dans sa cellule. Elle sentait mauvais, elle était sale, sa chemise était déchirée par endroits. Et quelques plaies aux jambes brûlaient à chaque mouvement.

Dans la pièce où ils l'emmenèrent se trouvaient déjà les deux salauds de la veille. Un jeune, nerveux, et un autre plus âgé, impassible. Le jeune était français. Dans l'uniforme allemand. L'autre, un Allemand, parlait suffisamment le français pour se faire comprendre.

Il l'accueillit avec une râclée qui la balança au sol en guise de bienvenue. Les mains attachées dans le dos, elle essaya de se recroqueviller en tombant, pour protéger son ventre. Le Français ne la regardait pas. Il regardait le ventre. Comme pour ne pas voir le reste.

Elle le fusilla du regard, la seule arme qu'elle avait à ce moment-là pour lui cracher au visage la haine qu'elle ressentait de le voir sans pitié pour elle, pour le bébé qu'elle portait, pour la vie tout court. Elle n'était plus rien, par terre, soumise à leur insupportable violence. Mais la haine couvrait le désespoir. La haine comme dernière force, pour ne pas baisser les yeux.

Il ne regardait plus son ventre. Il regardait le type qui s'approchait d'elle et qui la traînait jusqu'au seau.

Quand il lui attrapa les cheveux, elle prit une grande inspiration et s'imagina avec sa sœur, quand elles étaient enfants et qu'elles allaient se baigner dans la Bruche. Elles faisaient des concours. À celle qui tiendrait le plus longtemps sous l'eau sans reprendre son souffle. Suzanne gagnait toujours. Thérèse était asthmatique.

Et puis elle savait qu'ils ressortent la tête du seau quand l'atonie trahit le manque d'oxygène. Pour ne pas tuer les prisonniers. Du moins tant qu'ils n'ont pas parlé.

Elle devait faire semblant de résister en se débattant, puis se laisser tomber comme si elle était une poupée de chiffon, avant que la lumière blanche n'apparaisse devant ses yeux, celle où l'on sait que l'on perd connaissance. Thérèse n'avait jamais eu le courage d'aller jusque-là. Elle si. C'est à compter de ce jour qu'elles avaient arrêté de jouer à ça. Sa sœur avait eu très peur. Si elle savait de là où elle est que leur secret d'enfants allait peut-être lui sauver la vie parce qu'elle s'était beaucoup entraînée à tenir le plus longtemps possible sous l'eau.

– Léon Hazemann, c'est ton mari ?

– Oui.

– Il est où ?

– …

– Il est où ? hurla-t-il.

– …

Résister, se débattre, faire semblant de paniquer. Et trouver le bon moment pour l'atonie. Si elle le faisait trop tôt, ils se douteraient qu'elle simulait, si elle le faisait trop tard, ça risquait de l'être effectivement.

Elle ne pensa pas aux secondes qui passaient et qui la rapprochaient de la lumière blanche. Elle pensa à Léon, à son bébé qui devait commencer à manquer d'oxygène. Elle pensa à Thérèse. L'asthme. La main de sa grande sœur sur son épaule pour qu'elle sorte la tête de l'eau. Et elle, l'envie d'aller toujours plus loin.

Maintenant, la poupée de chiffon. Maintenant.

Il la balança au sol. Elle toussa en crachant l'eau qui avait inévitablement pénétré dans son nez, dans sa bouche.

Bouge, bébé, dis-moi qu'il te reste un peu de mon oxygène. Que tu n'as pas vu la lumière blanche.

Verdict

– T'as peur, hein ? me lance Gaël quand il me voit ranger rapidement mes affaires de classe.

Je ne le regarde pas, mais je souris discrètement, pour faire bonne figure, en rassemblant les cahiers du jour à corriger, et ma trousse éparpillée sur le bureau.

– C'est de ta faute !

– Tu m'appelles si besoin, je fais chauffer la deux-chevaux.

– Lui aussi, il a une deux-chevaux !

– Et le toit ouvrant ! Mais le mien est moderne, il se rabat en cas d'orage.

– Très drôle ! Tu fermes l'école ?

– À demain. Méfie-toi quand même.

– De quoi ?

– De toi !

Gaël est phénoménal de pragmatisme, mais je n'écoute pas tout ce qu'il me dit. Il est persuadé que je serais heureuse si je suivais ses conseils plus souvent. Ça part d'un bon sentiment, mais c'est parfois pesant. Je l'aime quand même. Comme un frère. Comme le frère que je n'ai jamais eu et qui a manqué à mon besoin de protection. Il est drôle et attentionné. Il est costaud et impressionnant, du haut de son mètre quatre-vingts et de ses cent trente kilos. Cent trente kilos de guimauve concentrée, qui à l'approche de la moindre chaleur humaine se caramélise en surface et se liquéfie au cœur. Un amas de tendresse et de bienveillance, en somme.

Mais il m'a inquiétée. Je passe à la pharmacie avec l'ordonnance de Claude et la carte vitale de l'homme. Je prétends que c'est une course pour un ami, devant le regard suspicieux de la pharmacienne. Tout le monde se connaît à dix kilomètres à la ronde, alors le moindre événement insolite surprend. Et se colporte, je le crains. Que quelqu'un comme moi qui habite dans un hameau isolé de tout présente la carte vitale d'un inconnu dans l'incontournable pharmacie de la petite ville du coin ne va pas manquer de faire jaser. Tant pis. Je préfère que ça jase pour ça que pour un cambriolage.

Je remonte vers chez moi le ventre noué. Et si ce que Gaël m'a prédit était vrai ?

Quand j'arrive dans la cour, je cherche avant toute chose la roulotte. Mon cœur s'emballe. La grange est grande ouverte mais plus de roulotte. Disparue, envolée. Je me gare précipitamment et entre dans la maison nerveusement. Le chien, penaud, s'écarte sur mon passage, sentant que le contexte n'est pas propice à une caresse. J'aperçois immédiatement Anna-Nina sur le canapé, un livre dans la main, et les deux chats qui ronronnent délicieusement contre elle. Je me demande alors si en plus d'être parti avec les bijoux de mamie, il ne m'a pas aussi abandonné sa fille.

— Ton papa n'est pas là ?

— Si, il m'a dit qu'il emmenait la roulotte dans la grange derrière la maison, avec Gustave, pour la mettre à l'abri. Il revient tout à l'heure.

Je respire.

— Tu vas mieux ?

— Je crois.

— Je t'ai rapporté tes antibiotiques, je te donne une première dose tout de suite. Tu as déjà pris un goûter ?

— Non.

— Tu veux un chocolat chaud avec une grande tartine ?

— Oui.

— Tu lis quoi ?

— *Vendredi ou la Vie sauvage*.

— C'est vrai ? Et c'est bien ?

— Oui, j'ai presque fini.

— Ce n'est pas trop dur pour toi ?

— Non, pourquoi ?

— Tu lis beaucoup ?

— Oui.

— Et tu fais quoi d'autre dans la roulotte ?

Je suis interrompue par l'arrivée de son père, qui entre dans la maison après avoir caressé le chien, et enlevé ses bottes sur les marches du perron. Finalement, la suspicion de mon collègue aura eu pour effet que je me réjouis de les voir à la maison. C'est un mal pour un bien. Il me salue en me serrant la main.

— Vous avez mis la roulotte dans l'atelier derrière ?

– Ça ne vous dérange pas ?

– Non, il faut bien la mettre à l'abri.

– Il faudrait aussi que je la répare, mais ça va prendre du temps. Y a-t-il un hôtel près d'ici où nous pourrions loger quelque temps ?

– Un hôtel ? Pour quoi faire ? J'ai plusieurs chambres libres à l'étage, vous n'allez pas payer l'hôtel alors que vous pouvez rester sur place. Ça sera plus pratique pour vous.

– Ça me gêne.

– Pas moi.

– Alors, je vous paierai.

– Vous m'aiderez pour le quotidien, ça suffira amplement.

– Je vous ferai des courses.

– Nous n'achetons quasiment rien avec Gustave. Tout vient du jardin, des poules, de la vache et de la cueillette. Le mont Saint-Jean, juste au-dessus du village, est couvert de myrtilles. Jardiniers-cueilleurs-éleveurs. Nous ne participons pas au développement darwinien de l'Homme. Quoique.

– J'ai vu votre cave, c'est impressionnant.

– Et encore, nous sommes en début de printemps, toutes les réserves d'hiver ont fondu.

– Vous pouvez tenir un siège de plusieurs années.

– Le jardin, c'est notre plaisir, à Gustave et à moi.

– C'est votre grand-père ?

– Oui et non. Un voisin, il a toujours habité ici.

– Il est gentil.

– Bien plus que ça.

Éric rejoint alors sa fille sur le canapé et la prend dans ses bras en la berçant doucement. Ils regardent par les baies vitrées le magnifique spectacle du soleil qui change la lumière des montagnes alentour. Il lui caresse les cheveux avec une douceur infinie.

Je ressens un pieu dans le cœur en me rendant compte à quel point elle me manque, cette tendresse simple. Être pris dans les bras et qu'on vous caresse les cheveux. N'importe quel être humain en a besoin, quel que soit son âge. Et celui qui le nie est certainement monté de travers. Il a forcément mis un voile sur ce besoin-là, en se disant qu'il n'en souffre pas. Balivernes ! Il en souffre, peut-être à en crever, mais sans pouvoir l'admettre.

J'avais aussi oublié que j'en souffrais. Cet homme met le doigt dessus. Je monte dans ma chambre pour enfiler mes vêtements de travail et je file au jardin où Gustave s'affaire. Réfléchir aux semis et à l'organisation du potager m'empêchera de penser au reste. J'en suis presque à regretter qu'il ait débarqué comme ça, pour me mettre sa tendresse sous le nez. C'est bien d'aider les gens quand ça ne va pas, mais pour qu'après ils vous narguent avec leur bonheur...

J'y réfléchirai à deux fois au prochain orage avec Jack Nicholson.

Lui dire ?

Anna-Nina est encore très fatiguée. Elle a peiné à achever sa soupe de légumes et sa tartine de fromage de chèvre tant le sommeil s'emparait d'elle. J'ai fini par la monter dans son lit, tant pis si elle mange peu, elle a surtout besoin de reprendre des forces en dormant.

Quand je redescends, Valentine est en train de ranger la vaisselle. Je me réinstalle à table, pour finir mon assiette, en essayant de me faire le plus discret possible. Elle ne dit rien et semble contrariée depuis tout à l'heure. Je ne comprends pas bien pourquoi, rien de particulier n'a eu lieu. Peut-être est-ce une difficulté dans son travail, ou un souci familial. Ou tout simplement l'incongruité de la situation. Après tout, je ne suis pas très détendu moi non plus. Nous ne nous connaissons pas. Elle m'a ouvert sa porte, offert sa chambre d'amis, sa générosité, mais comment être à l'aise ? Tout s'est enchaîné dans l'urgence, sans que ni les uns ni les autres nous n'ayons prévu cette situation, alors on s'adapte comme on peut. Je ne sais rien d'elle. Rien. Peut-être seulement qu'elle a du caractère et qu'on remarque quand il n'est pas au beau fixe. Je termine mon repas en évitant de parler la bouche pleine. Elle n'a qu'à parler si le silence la perturbe. Pour ma part, j'en ai une grande habitude. Anna-Nina lit énormément, temps durant lequel je conduis les chevaux, je les soigne, je réfléchis à la suite de notre vie. Où aller ? Quoi lui enseigner ? Quelle expérience nouvelle lui apporter ?

– Vous pensez en avoir pour combien de temps pour réparer la roulotte ?

– Au moins une semaine, peut-être deux.

– Je me disais que je pourrais peut-être emmener Anna-Nina à l'école pendant ce temps, dès qu'elle sera vraiment remise. Avec les antibiotiques et du repos, ça devrait être assez rapide.

– Pourquoi voulez-vous faire ça ?

– Pour qu'elle soit un peu au contact d'autres enfants.

– Ah.

Elle ne me regarde pas et frotte le fond d'une casserole énergiquement. Je me demande où elle veut en venir pour me proposer une chose pareille.

– Vous ne pensez pas que ça lui ferait du bien ?

– Je ne sais pas. Elle n'a pas l'habitude de la collectivité.

– Justement. C'est l'occasion. En plus, l'école de La Claquette est toute petite, ce n'est pas comme si je l'emmenais dans une cité scolaire de deux cents élèves.

– Laissez-moi le temps de réfléchir.

Je dépose mon assiette dans l'évier. Elle s'acharne toujours sur sa casserole au fond de laquelle le lait qu'elle a fait bouillir pour le transformer en yaourt a laissé une couche épaisse et tenace.

– Si vous faites bouillir de l'eau avec de la cendre, ça

détache tout sans frotter, même le fond le plus brûlé qui soit.

– Ah bon ? Comment vous savez ça ? me demande-t-elle, étonnée.

– Je le sais, c'est tout. Ça m'arrive aussi. Essayez !

Je nettoie la table et je retourne ensuite flâner dans le salon, le long de la grande étagère bourrée de livres, qui couvre un mur entier.

J'aime lire aussi, et je n'ai pas encore pris le temps de voir les titres de ses bouquins. On connaît parfois mieux les gens en observant leur bibliothèque.

– Vous voulez une tisane ? me demande-t-elle en se retournant enfin.

– Je veux bien. Mais vous avez peut-être du travail ?

– Oh non, ce matin, j'avais oublié mes leçons sur la table, alors j'ai improvisé, je les utiliserai demain. Je vous fais une préparation maison ?

– Vous faites aussi des tisanes ?

– Cela va de soi ! Cueilleurs-jardiniers, je vous dis. Reine-des-prés, sauge, thym, camomille… Une envie particulière ?

– Non, je vous fais confiance.

Je constate que mon hôtesse dispose d'à peu près autant de livres dans la bibliothèque que de bocaux dans sa cave. Elle pourrait tenir un siège de plusieurs années et lirait en mangeant, en attendant l'armistice. Du classique, du contemporain, des essais, des romans, des polars, de la poésie. Il y en a pour tous les goûts et me voilà perdu. Je ferme les yeux et pose mon doigt au hasard sur le dos de l'un d'eux. *Des grives aux loups*, de Claude Michelet.

– Très bon choix.

– L'instinct.

– Très bon instinct.

– Ça, je ne sais pas. Je ne l'ai jamais lu.

– Vous verrez, c'est très beau. Vous serez obligé de lire la suite.

– Ah.

– Mais j'ai les deux autres tomes.

– Il faut quand même que je répare la roulotte.

– Vous n'allez pas y passer vos nuits.

– À lire non plus...

– Vous pouvez rester le temps que vous voulez. Vous êtes à l'abri et la roulotte aussi.

– Celui-ci a l'air intéressant, dis-je en tirant sur la tranche d'un très vieux livre.

– Lequel ?

– *Formation de la jeune fille, son âme, son cœur, sa volonté, par un prêtre apostolique...*

– Il vaut le détour, en effet. Vous pouvez le prendre aussi, mais de grâce, ne vous en inspirez pas.

– J'ai une tête à m'inspirer d'un missionnaire apostolique qui donne des leçons d'éducation des filles datant du début du siècle dernier ?

– Non. Alors vous allez juste rire. Ou pleurer. C'est selon.

Valentine sourit discrètement.

Je regarde encore ses livres un long moment, autant pour m'occuper, comme on flânerait dans une librairie en attendant l'heure d'un rendez-vous, que par réel intérêt. Elle ne dit plus rien. Seuls les bruits de la cuisine remplissent la pièce. Après qu'elle a posé le plateau supportant les tisanes fumantes et quelques biscuits maison sur la table du salon, elle m'invite à m'asseoir sur l'un des deux canapés.

Nous avons chacun les deux mains autour de notre tasse fumante. Les doigts se réchauffent en silence. Moi qui ne suis pas bavard de nature, je compte sur elle pour le rompre, car il commence à devenir pesant. Passé un certain délai, le silence devient inextricable. Mais je ne m'attendais pas à la question qu'elle me pose.

— Peut-être pourriez-vous m'expliquer votre situation ?

— Est-ce vraiment nécessaire ?

— Éric. Nous sommes en France, en 2010. Un homme qui parcourt le pays, seul avec sa fille non scolarisée, dans une roulotte tirée par deux chevaux, ce n'est pas courant.

— Et après ? On n'a pas le droit d'être original ? Vous allez me dénoncer aux services sociaux ?

— Bien sûr que non. Sauf si j'ai le sentiment qu'Anna-Nina est en danger et que vous ne subvenez pas à ses besoins, ce qui ne semble pas être le cas.

— Ne semble pas…

— Comprendre rassure parfois. Pourquoi ne voulez-vous pas m'expliquer ?

Je n'ai pas envie de lui expliquer, je ne la connais pas assez. Pas assez pour la laisser plonger dans les profondeurs de ma douleur, que je vais raviver avec certitude en évoquant Hélène.

— Vous craignez quelque chose ?

— Je crains juste pour ma fille.

— En quoi m'expliquer votre situation vous fait craindre quoi que ce soit pour votre fille ?

ON REGRETTERA PLUS TARD

– Je les connais, les gens, dès qu'on n'entre pas dans des cases, on est traité de marginal, d'incapable, de fou dangereux.

– Vous n'avez pas franchement l'air d'être un marginal. Un peu à l'écart de la société, mais pas dangereux, sinon Anna-Nina ne paraîtrait pas aussi épanouie.

– Je fais tout pour elle. Tout.

– Je n'en doute pas. Mais c'est rare de voir une petite fille sur la route, seule avec son père, qui plus est dans une roulotte. Vous n'êtes pas des gens du voyage, que je sache.

– D'une certaine façon, si.

Valentine s'est tue. Elle attend en buvant sa tisane à petites gorgées tant elle est chaude.

Je regarde la mienne en pesant le pour et le contre. Après tout, elle a été accueillante, elle m'a aidé dans un moment critique pour ma fille, je lui dois peut-être une explication. Mais j'ai peur qu'elle me considère comme inapte. L'Éducation nationale m'embête déjà bien assez à cause de notre situation. Et il a fallu que je tombe sur une instit !

Je finis d'avaler ma tisane à toute vitesse, même si elle me brûle l'œsophage.

– Je vous en parlerai demain. Bonne nuit, lui dis-je en me levant après avoir posé ma tasse sur le plateau.

Je disparais comme un voleur. Ce que je viens de faire a un nom : la fuite. La fuite d'un ours mal léché, et mal élevé, de lui avoir laissé ma tasse à laver.

La panique rend bête.

J'ai la nuit pour réfléchir à la façon dont je vais lui expliquer ma vie, maintenant que je m'y suis engagé. Et comme elle ne semble pas être du genre à lâcher le morceau, inutile d'espérer qu'elle oubliera de me relancer…

Mon Hélène,

Oh, comme il va m'être douloureux d'évoquer ton souvenir. Ma voix s'étranglera plus d'une fois, je le sais. Mais je crois qu'il faut que je lui parle de toi. Je ne veux pas avoir d'ennui avec la justice, l'Éducation nationale ou toute autre structure officielle qui œuvre soi-disant pour le bien-être des enfants. Moi aussi, j'œuvre pour le bien-être de Nanie. Mais je t'avoue que je doute parfois. C'est la première fois que je vais devoir reprendre le fil des événements depuis le début, la première fois que je vais prendre un peu de recul, la première fois que je vais risquer de regretter. Je m'y attends. Mais c'est trop tard, je me suis engagé.

Et si j'avais eu tort de partir sur ce coup de tête ? Et si j'avais eu tort de m'acharner à poursuivre ?

Hélène, tu me manques, tu me manques terriblement.

Maintenant, je n'espère qu'une chose, c'est que de parler à cette femme ne me le fera pas regretter et que rien ne sera engagé contre moi. Je ne peux pas perdre Anna-Nina, tu comprends ? Je ne peux pas la perdre.

Je pense à toi.

2 994 réponses

Je suis allongée dans le noir, ma couette jusqu'au cou, et je sais que je ne vais pas dormir avant un moment. Demain, je serai à l'ouest, et Gaël se moquera de moi. Ou s'inquiétera des conséquences de la venue de cet homme dans ma vie. Ou les deux, le connaissant. Il en est capable.

Mais comment dormir après la réaction d'Éric ? Il a disparu sans prévenir, je n'ai même pas eu le temps de réagir. Par contre, maintenant, je me pose trois mille questions : Qu'a-t-il à cacher ? A-t-il fait quelque chose de mal ? Et la maman de cette petite ? Est-ce qu'il l'a assassinée et il fuit la justice ? Pourquoi ne le dire que demain ? Et s'il partait dans la nuit ?

Plus que deux mille neuf cent quatre-vingt-quatorze réponses à trouver.

Je serai à l'ouest…

Et Gaël se moquera de moi…

Mardi 15 juin 2010
Comme du hachis parmentier

– Tu fais des folies de ton corps avec le type qui squatte chez toi pour avoir l'air épuisée comme ça le matin ?

Gaël me balance cette question en se dirigeant vers moi pour m'embrasser et frotter sa main vigoureuse sur mon épaule. Toujours la même main, toujours la même épaule, le matin et le soir. Je dois avoir la peau plus épaisse sur quelques centimètres carrés. Mais dans cette main qui frotte passent toute son amitié, toute sa bienveillance, sa compréhension et son envie de me dire que ça va, même quand ça ne va pas. Le matin et le soir…

– On a fait l'amour toute la nuit. Je ne savais même pas que c'était possible. J'ai des courbatures partout.

– Arrête, tu me fais rêver.

– Ne rêve pas. J'étais nue sous ma couette, mais seule, avec mes trois mille questions…

– Tu réfléchis trop.

– Je sais.

– Et pourtant, tu continues.

– Mets-toi à ma place !

— Dieu m'en garde !!! s'exclame Gaël en feignant la peur.

— Tu crois en Dieu maintenant ?

— En ce moment, vaut mieux pas.

— Ah bon ? Pourquoi ?

— Si je commence à t'en parler, les enfants n'auront pas classe ce matin.

— Ce midi, alors ! Tu commenceras à la récré pour me mettre l'eau à la bouche. Je sens que c'est pas très catholique.

— Mon cœur souffre en protestant.

— Ah bon ?

— Catholique-protestant... c'était de l'humour. Tu es vraiment fatiguée.

— Toute la nuit, je te dis.

J'ai fait la classe en mode automatique ce matin, le nez dans mes préparations et la tête tournée vers la pause de midi à attendre qu'on y soit pour qu'il me raconte pourquoi son cœur proteste. Gaël n'est pas du genre à se confier à n'importe qui. Mais il me parle souvent, de tout, de rien, de lui, de ses émotions. D'être l'oreille attentive d'un homme est un privilège incommensurable car d'une extraordinaire rareté. Je savoure mon rôle, mon rang, mon statut. Moi, la reine des oreilles au royaume des hommes silencieux.

Il n'a rien voulu me dire à la récré. Juste pour jouer avec ma patience, qu'il sait aussi faible que sa propre résistance au chocolat. Ça l'amuse. Moi, pas du tout, mais je n'ai pas le choix. Tirez trop fort les vers du nez d'un homme, et ses secrets s'envolent comme un papillon craintif. Il faut les approcher doucement, attendre qu'ils viennent se poser délicatement sur le bord de votre ouïe.

Le déjeuner de Gaël fume encore d'avoir été trop longtemps au micro-onde. J'ai déjà entamé ma salade. Comme ça, je pourrai parler quand il aura fini de me raconter sa vie. Si toutefois il y a quelque chose à dire.

Je trouve toujours quelque chose à dire.

– Un seul être vous manque...

– Geneviève est partie ?

– Non !

– Un deuil dans la famille.

– Non plus.

– Ah. Ça se complique. C'est qui ?

– La nouvelle assistante sociale de secteur.

– Stéphanie Pernoud ?

– *Herself.*

– Tu t'es attaché à elle ?

– Et réciproquement.

– Depuis quand ?

– Depuis qu'on s'est rencontrés autour du dossier de Raphaël, il y a six mois.

– Et tu me le dis maintenant ?

– Parce que je me sens mal. Elle me manque.

– Mais tu aimes ta femme.

– Oui.

– Et elle ? Elle t'aime ?

– Ma femme ?

– Non, Stéphanie. Ta femme, je sais qu'elle t'aime, ça se voit comme le nez au milieu de la figure.

– Je suppose qu'elle tient à moi. Enfin, je supposais.

– Tu supposes ? Tu te mets le cœur à l'envers sur des suppositions ?

– Elle n'a jamais rien dit de ses émotions.

– T'es sûr que c'est une femme ?

– Je te parle bien des miennes et je suis un homme.

– Oui, mais je suis ta meilleure amie. Tu lui as dit ?

– Elle le sait, oui. Je lui dis tout le temps que je tiens à elle. Tu sais, c'était une rencontre magique. Nous nous sommes entendus dès la première seconde. La même longueur d'onde, le même humour, on finissait les phrases l'un de l'autre. Nous passions notre temps à nous écrire, à nous parler, à nous envoyer des petits mots, même trois fois rien, juste pour être là. Dire qu'on pensait à l'autre. Il y avait quelque chose d'évident entre nous.

– Et elle te manque ?

– Elle est distante depuis quelques semaines, sans explication.

– De la friture sur la ligne ?

– Je ne sais pas quoi faire, et ça fait mal.

– Ah ça, personne n'a jamais dit que la vie n'était qu'« ordre et beauté, luxe, calme et volupté ».

– Si. Baudelaire. Et l'esthéticienne de ma femme quand elle lui fait un soin détente à cent cinquante euros.

– Et dans quoi il a écrit ça ? Je te le donne en mille, Émile, dans *Les Fleurs du mal*. Sacré Charles ! Il a bien choisi son titre, hein ? Elle est jolie la fleur, mais elle fait mal.

Je vois alors le menton de Gaël se mettre à trembler juste au-dessus de sa fourchette de hachis parmentier fumant. Ça me fend le cœur. Il y a cette totale incohérence entre les quelques grammes de hachis qui s'apprêtent à le nourrir et son cœur en fins morceaux. Non, finalement il a les tripes en bouillie, et il pleure sur du hachis. C'est d'une logique déchirante.

Ça passera. Mais comment lui dire pour qu'il l'entende ? Dans le chagrin d'amour, puisque je suppose qu'il en est là, on n'a plus de notion du temps ni d'espoir de guérison. Quant à survivre à l'idée de renoncer...

– Je ne peux pas imaginer mon quotidien sans un signe de sa part, sans sa présence, sans elle, ajoute-t-il dans un souffle faible.

– Ça passera avec le temps. Juste patienter. Que la frustration fasse son effet de faux, en coupant l'herbe de l'attente, à ras, parce que devenue trop haute.

Je suis la reine des oreilles et des métaphores.

Mais mes métaphores ne soulageront pas sa peine. La solution est au fond de lui. Il y en a bien une, drastique, mais je n'ose pas lui proposer.

– Tu as une solution drastique ? me demande-t-il l'instant d'après.

Il doit lire dans mes pensées. Je ne vois que ça comme explication.

– Tu veux quel genre de solution ? Douce ? Radicale ? Efficace ? Rapide ? Certaine ?

– Radicale, efficace, rapide, certaine, mais douce, c'est possible ?

– Ah non, j'ai pas en stock. Soit c'est doux mais pas efficace, soit c'est radical, mais pas doux du tout.

– C'est quoi la solution douce ?

– Vous continuez comme ça, la distance et le temps

feront leur travail de sape. À force de frustration, le désir s'étrangle. Argghghgh.

J'accompagne ce borborygme en mimant le pendu à sa corde, langue pendante. Il sourit à peine.

Il est vraiment bien atteint.

– Le problème de la solution douce, c'est qu'on ne sait pas quand elle finit par porter ses fruits, si elle les porte un jour.

– Et la solution radicale ?

– Vous coupez tout contact.

– Ça va pas dans ta tête ?

– Ça ne va pas plus mal dans ma tête que dans tes tripes.

– Je peux pas. Ça serait insupportable.

– Douloureux, mais pas mortel.

– Non, non, je peux pas. Je préfère attendre. T'as rien d'autre en stock ?

– La kidnapper et partir aux Caraïbes, sur une île déserte et paradisiaque, pour profiter de sa présence H-24.

– Et si on y prend goût ?

– C'est le risque.

– Donc, il ne vaut mieux pas.

– Il aurait mieux valu que tu ne la rencontres pas.

– Oui, mais c'est tellement bon.

– « Beauté et volupté ». Oublie le calme et l'ordre.

– Désordre et agitation, oui.

– On ne peut pas tout avoir dans la vie.

– Et toi ? C'est « calme et ordre » là-haut, avec ton chauffeur de deux-chevaux-toit ouvrant ?

– C'est rien pour l'instant. Mais il m'a promis que ce soir il m'expliquerait tout.

– Tout quoi?

– Qui il est, pourquoi il est là, avec sa fille, en roulotte.

– Il va te dire tout ça?

– J'espère, oui.

– T'es sûre que c'est un homme?

– Très drôle. Mais j'ai peur de ce qu'il va me dire.

– Tu risques quoi?

– D'être touchée.

– Arrrghghghgh, me répond-il dans la même gestuelle, langue pendante.

Il semble aller mieux. Son menton ne tremble plus.

– Tu crois qu'on peut aimer deux femmes en même temps? enchaîne-t-il, sans me laisser aucun instant de répit.

– Évidemment!

– Ah?

– C'est la tradition judéo-chrétienne qui l'interdit, mais aucune morale n'a à ce jour réussi à maîtriser les élans du cœur, les vrais. Depuis quand décide-t-on de ce qu'on ressent?

– Mais comment faire alors?

– Tu ne m'as pas demandé comment faire, tu m'as demandé si c'était possible. Alors je te dis que oui. Pour le reste, c'est compliqué.

– C'est réjouissant.

– Tu ressens forcément de la frustration dans une telle situation. Et cette frustration n'est heureuse que quand tu te rends compte que tu es capable de la dépasser sans souffrir.

– Ça prend du temps?

– Je suppose que ça dépend de l'intensité du désir. Le

type qui n'a pas mangé depuis une semaine aura plus de mal à résister à un morceau de jambon que celui qui sort de table.

– Mais moi, j'ai déjà du jambon à la maison.

– Oui, mais pas le même. Un peu comme le jambon blanc et le jambon fumé.

– Dis, on pourrait changer de comparaison ? Ça me gêne un peu, l'image du jambon pour parler des femmes.

– Bon, eh bien, le marin qui n'a pas vu sa femme pendant quatre mois serait prêt à sauter à la mer en l'apercevant sur le quai. C'est moins le cas s'il l'a quittée le matin même.

– Et la culpabilité ?

– Par rapport à Geneviève ?

– Oui.

– Tu aimes ta femme, non ?

– Oui ! Vraiment !

– Alors où est le problème ?

– Pourquoi j'ai de la place pour quelqu'un d'autre, alors ?

– Parce que t'as un trop gros cœur. L'appel du vide... Il faut bien le remplir de quelque chose. C'est l'heure. On y va ?

– Valentine ?

– Oui ?

– Merci. T'es la reine des oreilles.

– Je sais. Et des solutions radicales.

– Tu peux te la garder, ta solution radicale. Je peux pas.

– T'inquiète pas, je serai là dans les années qui viennent pour essuyer tes larmes à te voir te dépatouiller avec la méthode douce.

– Tu es d'un optimisme !

– Objective. Profite de l'instant. Profite, parce que ce que tu vis là, c'est d'une intensité parfaite pour se sentir vivant. On est si peu de temps sur cette terre qu'on ne va pas éteindre la moindre flamme dès qu'elle s'allume, hein ? Elle s'éteindra à force de pleurer dessus. Et là, tu seras guéri. Et si vous vous côtoyez toujours, vous vivrez une amitié tellement forte que tu te trouveras idiot d'avoir eu un jour envie d'elle.

– Et en attendant ?

– En attendant, j'ai une épaule super-absorbante pour tes larmes. C'est pas grave, tout ça. Ça fait mal, mais ça tue pas. Si tu tiens vraiment à elle et si elle tient vraiment à toi, ça durera. Ne te fais pas de souci pour ça.

– Et si elle ne tient pas vraiment à moi ?

– Mon épaule sera là.

4 mars 1944

Elle avait faim.
Elle avait froid.
Elle avait mal.
Et peur.
C'était l'après-midi et il neigeait dehors. Suzanne ne voyait qu'un coin de ciel à travers le soupirail. Ça virevoltait dans tous les sens. Elle aimait la neige. Quelques flocons de réconfort pour oublier cette cave. Ça lui rappelait les après-midi de son enfance, que les gosses du village passaient à luger jusqu'à la nuit. Les grands dirigeaient et les petits s'accrochaient derrière, le bonnet sur la tête et le sourire figé, entre le plaisir et la frayeur des descentes trop rapides.

C'est dans la neige qu'elle avait rencontré Léon. Sa famille était arrivée l'été précédent. Elle l'avait croisé l'une ou l'autre fois dans le village, mais sans jamais lui parler. On apprenait aux jeunes filles à être discrètes et bien élevées, surtout pas aguicheuses. Et elle, elle avait juste envie qu'il la voie, qu'il la remarque, qu'il pense à elle et qu'il ose l'aborder.

Ce dimanche-là, il avait beaucoup neigé et tous les jeunes s'étaient retrouvés sur les hauteurs de Solbach, leur luge dans une main et un petit frère ou une petite sœur dans l'autre. Thérèse était restée à la maison, à cause d'une crise d'asthme. Suzanne était seule avec sa luge.

Quand il s'approcha d'elle et qu'il lui demanda s'il pouvait en faire avec elle, la jeune fille eut le pressentiment que sa vie allait prendre un grand virage, aussi puissant que la descente qu'ils allaient probablement vivre ensemble quelques minutes plus tard.

Il voulut qu'elle s'installe à l'avant. Il coinça ses boquions[1] dans la luge, passa ses bras autour de la taille de Suzanne, cala son menton dans son cou, en lui chuchotant «je suis prêt» à l'oreille.

Ils rirent tellement fort en dévalant la pente, cahin-caha, que tous ceux qui remontaient en tirant leur bolide se retournaient sur leur passage pour les regarder. Ils prirent une telle vitesse qu'ils franchirent la limite autorisée, tant les premières habitations étaient dangereusement proches. Léon eut le réflexe de faire vaciller la luge sur le côté avant qu'ils ne percutent une clôture. La vitesse les fit valdinguer dans la poudreuse. Mais il ne lui lâcha pas la taille.

Quand ils se regardèrent, ils étaient blancs comme des bonshommes de neige. Il n'y avait que du plaisir dans leurs yeux. Son visage était à quelques centimètres de celui de la jeune fille. Ils entendaient de façon très lointaine les cris des autres, plus haut dans les prés. Suzanne avait envie

---

1. Grosses chaussures en patois vosgien.

que la vie s'arrête là. Il lui frotta les joues pour enlever la neige, puis la bouche, et y posa ses lèvres. Un bonbon de chaleur au milieu du froid. Puis il se leva, s'épousseta et lui tendit la main pour qu'elle fasse de même.

Leur amour était né aussi vite que la pente avait été dévalée, dans un paysage de glace. Mais elle n'avait pas fondu avec le printemps.

Elle aurait tellement aimé qu'il soit là, qu'il la prenne dans ses bras, qu'il la sorte d'ici en tenant son visage entre ses mains, en lui disant que ça irait mieux. Que le cauchemar était fini, que les Allemands étaient partis, que la guerre n'avait plus lieu d'être, qu'ils pourraient rentrer dans leur ferme et préparer la petite chambre pour bébé. Elle aurait tellement aimé être sous cette neige avec lui, et sentir la chaleur de ses lèvres. Le bonbon brûlant qu'elle avait goûté quatre ans auparavant.

Ils étaient déjà venus la chercher au matin. Elle n'avait pas parlé. Elle ne parlerait pas. Après le supplice du seau, ils lui brûlèrent le ventre avec une cigarette. Elle hurla, sans savoir si c'était à cause de la douleur ou de la peur que le bout incandescent traverse la peau et blesse son bébé. Elle hurla à s'en arracher les cordes vocales. Ce fut l'arrivée d'un autre type venu s'enquérir d'une information urgente qui interrompit le geste de son tortionnaire. Une diversion qui ne faisait que repousser le supplice à plus tard, elle le savait. Ils allaient revenir.

Elle avait faim.

Elle avait froid.

Elle avait mal.

Et peur.

Mais elle tiendrait.

Je ne dirai rien, Léon, je ne veux pas qu'ils te trouvent à cause de moi. Plutôt mourir que te trahir.

Aide-moi, Léon. Aide-moi à tenir.

Nous sommes demain

Anna-Nina va beaucoup mieux. Les antibiotiques ont agi. Elle est cependant restée une partie de la journée dans le canapé, à lire, lire, et lire encore. En venant me voir de temps en temps. Ou en tournant autour de Gustave, l'air de rien, pour échanger quelques mots avec lui, lui sourire et réciproquement. Je les ai aperçus, c'était touchant. L'homme est paisible et bienveillant.

La roulotte est très endommagée. Une partie du toit est ouverte, mais ce sont surtout les dégâts causés par l'eau qui sont à déplorer. J'ai fait un rapide inventaire des objets restés à l'intérieur. Mes cahiers n'ont pas trop souffert, les jeux de la petite non plus. Ce sont les albums photos qui ont pris. Je trierai ça un de ces soirs, à tête reposée.

Il faudra que je demande à Valentine si elle peut m'emmener dans un magasin de bricolage pour le matériel dont j'ai besoin. Il semble que Gustave ne roule plus depuis quelques années.

– Je vous prête ma voiture, si vous voulez, me propose-t-elle autour d'une nouvelle tisane vespérale. Vous avez le permis ?

– Oui, bien sûr.

– Alors voilà. Inutile que je vienne avec vous. Vous n'aurez qu'à y aller demain. C'est mercredi, je n'ai pas besoin de ma voiture. Je garderai Anna-Nina, si vous voulez. On ira dans le jardin, ou on bricolera.

– Merci.

Valentine est assise en tailleur dans le canapé, son gros bol de tisane dans les mains. Elle regarde la vapeur qui s'élève de l'eau brûlante. Je l'observe du coin de l'œil. Ses longs cheveux se rejoignent en une natte qui descend sur son sein gauche. Elle nage dans un grand tee-shirt noir, porte un jean et des chaussettes de laine. Malgré le début d'été, la maison est fraîche en soirée. Le hameau se situe en altitude.

– Nous sommes demain, me dit-elle alors sans lever les yeux, probablement pour ne pas croiser mon regard.

– Je sais.

– Vous ne voulez rien me dire ?

– Si.

– …

– Mais c'est dur. Par où commencer ?

– Le début, peut-être ?

J'hésite un long moment. J'aimerais tout garder au fond de moi. Je suis comme un placard où on aurait entassé tout un tas d'objets mis au rebut, dans un équilibre instable, et qui menace de s'écrouler dès qu'on entrouvre la porte. Mais je lui dois quelques explications. L'hospitalité a un prix.

– Le début, c'est Hélène. Nous nous aimions profondément. On s'est connus juste après le bac, durant un travail d'été, et on ne s'est plus quittés. Elle est tombée enceinte six ans après. Nous avions profité de la vie à deux, avions une bonne situation. J'étais informaticien dans une grosse boîte à Paris, elle était jeune journaliste débutante au *Monde*, nous avions acheté un petit appartement dans un quartier tranquille, pas loin de Montparnasse. Ses parents avaient de l'argent, ils nous ont aidés. Et ce bébé qui arrivait achevait le tableau de la famille idéale. La grossesse s'est bien passée. Je suis allé à toutes les séances de préparation à la naissance, j'étais là pour l'accouchement. Tout allait bien. Quand ils ont posé Anna-Nina sur son ventre, j'ai vu le sourire radieux d'Hélène, et je me suis dit que l'avenir nous appartenait, qu'une nouvelle page se tournait. Et puis la sage-femme s'est mise à masser fortement le ventre de ma femme après avoir sorti le placenta, puis a sommé l'étudiante qui était là d'aller chercher le médecin. J'entendais quelque chose couler, comme un robinet ouvert dans le sac plastique au pied du lit d'accouchement. J'ai senti qu'il se passait quelque chose, mais je ne savais pas quoi. Une aide-soignante a mis notre bébé dans mes bras et m'a demandé de sortir. J'ai embrassé Hélène, je lui ai dit que je l'aimais. Elle aussi. Elle m'a souri, et puis elle a fermé les yeux de fatigue. Elle ne les a jamais rouverts.

– Que s'est-il passé ?

– Hémorragie de la délivrance. Ce que j'entendais couler comme un robinet, c'était son sang. Ils ont tout essayé. Tout. Ils m'avaient installé dans une pièce à côté avec la petite, mais je sentais bien la panique. Je voyais l'étudiante venir avec des poches de sang, et encore des poches. Dix-sept au total. Ils n'ont même pas eu le temps de la transférer au bloc pour essayer d'arrêter l'hémorragie en lui enlevant l'utérus, elle a fait un arrêt cardiaque avant. J'entendais le bruit des plaques du défibrillateur, comme dans les séries télé, sauf que c'était le cœur de ma femme en dessous. Vous savez le pire moment ?

– Non ?

– Quand vous sentez que tout se calme, les bruits, l'agitation, les paroles. Soudain, tout redevient silencieux. Le calme après la tempête. Et là, vous comprenez. Vous comprenez que c'est fini. Personne n'est encore venu vous l'annoncer, mais vous savez, parce qu'il y a ce silence glacial, celui que la mort impose. La grande faucheuse qui met tout le monde en joue, comme un malfaiteur pour que personne ne bouge le temps de sa prise d'otage. Et moi, j'étais là, avec mon bébé dans les bras et le monde qui s'écroulait tout autour. Et il fallait que je tienne debout parce que j'avais ce bébé dans les bras.

– Comment avez-vous fait pour ne pas vous effondrer ?

– Je n'avais pas le choix. J'avais Anna-Nina.

– C'est un très beau prénom.

– Nous hésitions… Hélène préférait Anna, et moi, Nina. Nous nous étions dit que nous déciderions en la voyant. Elle n'en a pas eu le temps. Alors je lui ai donné les deux prénoms.

– Vous avez bien fait. Et ensuite ?

– J'ai été en arrêt maladie. J'ai eu la chance d'avoir un patron bienveillant. Je travaillais un peu depuis la maison, pour les choses urgentes et les dossiers où ils avaient vraiment besoin de moi. Mais j'étais tellement perdu. Je n'y connaissais rien en bébés.

– Vous avez eu de l'aide ?

– Oui, évidemment. Mes parents, nos amis. Mais j'étais le père. Il fallait que j'assume. Anna-Nina pleurait toute la journée. Le manque, je suppose. Et puis, je ne devais pas dégager des ondes très positives. Ensuite, il a bien fallu que je reprenne le travail. J'ai trouvé une nounou en catastrophe ; mes parents étaient en banlieue, trop loin pour que ce soit possible au quotidien. Elle continuait à pleurer chez la nounou.

– Elle pleurait peut-être à votre place...

– Peut-être...

En parlant de tout cela, je sors les albums des sacs plastique pour montrer quelques photos à Valentine. Il en reste quelques-unes où on voit bien Hélène. Elle était joyeuse, souriante. Mes yeux se brouillent. Le moment est difficile. Valentine ne dit rien, elle attend. Je ne peux pas aller plus vite. C'est la première fois que j'en parle à quelqu'un que je ne connais pas. Le placard me tombe sur la tête avec tout ce qu'il y avait dedans.

– Et puis un jour Sophie, la meilleure amie d'Hélène, la marraine d'Anna-Nina, qui dirige un centre équestre à Rambouillet, m'a invité à venir voir son nouveau projet. Elle avait acheté une roulotte pour la louer à des vacanciers avec deux chevaux, elle voulait que je vienne l'essayer. Nous avons passé l'après-midi à nous balader sur les petites routes de campagne alentour, et Anna-Nina a dormi tout du long, elle n'a pas pleuré une seule fois. Elle était bercée par le bruit des sabots, le mouvement de la roulotte, je le voyais sur son visage, elle était apaisée. Ça a été le déclic. C'est à ce moment-là que j'ai eu envie de tout lâcher. Tout. J'avais touché l'assurance vie d'Hélène, que nous avions contractée en nous mariant, et celle des crédits d'emprunt aussi. Une grosse somme. J'ai revendu l'appartement, la voiture, j'ai mis dans le sous-sol de mes parents les quelques affaires auxquelles je tenais, et j'ai acheté la roulotte et les deux chevaux à cette amie. Je suis parti en laissant tout derrière moi. Sans savoir où j'allais. Le seul but, c'était qu'Anna-Nina arrête de pleurer.

– Et ça a marché ?

– Elle n'a plus jamais pleuré comme elle l'avait fait jusque-là.

– Et vous ne vous êtes plus arrêté depuis ?

– Non. Anna-Nina a grandi dans la roulotte, sur les routes de France, elle n'a connu que ça. Nous sommes bien ainsi.

– Mais comment faites-vous pour… enfin, pour l'éduquer ?

– J'ai récupéré de vieux livres scolaires, je me base sur les programmes actuels, comme je peux, et j'ai acheté quelques bouquins. Je lui ai appris à lire, à compter, à écrire, à notre rythme, au rythme de la vie, surtout. J'utilise tout ce que l'on rencontre pour l'éduquer. Quand on découvre la vie au ralenti, en prenant le temps de tout observer, on fait toutes les matières en même temps. On a appris quelques rudiments d'astronomie, les soirs d'été quand on dormait à la belle étoile au milieu des champs, idem pour la géographie, l'histoire, l'architecture, l'art, la botanique. Anna-Nina est très intelligente, et très curieuse. C'est un plaisir de répondre à ses questions.

– Elle semble vraiment en avance pour son âge, en effet.

– Je ne sais pas, je n'ai aucune notion du niveau d'un enfant de son âge.

– Moi si. Elle a au moins deux ans d'avance, voire trois.

– Ce n'était pas le but. Ça s'est fait naturellement, en fonction de ses besoins et de ses capacités.

– C'est bien pour ça qu'elle sait tout ça. Avec un professeur particulier et toutes ces choses à vivre sans contrainte, c'est plus efficace. Mais elle ne réclame jamais de voir d'autres enfants ?

– Je la vois intriguée quand nous passons près d'une école, au moment de la récréation. Mais elle n'a jamais connu cela.

– C'est pour ça que je vous proposais de l'emmener.

– J'ai peur que ce soit dur pour elle. Elle est très sensible.

– Ça pourrait lui faire du bien aussi. On essaie et on voit ? Je vous propose de l'emmener jeudi.

Mon Hélène,

Voilà, elle sait tout. C'était difficile, mais nécessaire. Les photos de toi sont abîmées par l'orage. Je me sens malheureux. C'est la seule chose qui me reste de toi, et une partie disparaît. J'ai peur de perdre le souvenir de ton visage, de le voir s'effacer progressivement avec le temps qui passe, et que tu sortes de ma vie, et qu'un jour je fasse comme si tu n'étais plus là.

J'ai peur de ce que cette femme va désormais penser de

moi. Elle paraît sincère et compréhensive, mais va-t-elle me dénoncer pour manquement à l'éducation de notre fille? Elle veut l'emmener à l'école. Elle me dit que ça lui fera du bien, et moi j'ai peur que ça lui fasse du mal. Elle n'a pas l'habitude. Les autres enfants sont violents, impitoyables, cruels. Je veux la protéger, je ne veux pas qu'elle souffre. Elle a déjà assez donné, et moi aussi. Je veux son bien, juste son bien.

Tu crois que j'ai eu tort? Tu crois que je devrais vite repartir et laisser ce hameau derrière moi?

Je suis perdu.

Avoir surtout l'ivresse

Comment dormir?

Je comprends mieux. Mais je ne suis pas rassurée pour autant. Certes, ils ne manquent de rien, il a les moyens financiers de subvenir aisément à leurs besoins, qui sont infimes tant ils profitent de la vie dans sa plus stricte simplicité, et pourtant toute pleine d'autres richesses. Certes, elle sait énormément de choses, est éveillée, et semble heureuse. Mais!

Mais elle ne côtoie pas d'autres enfants.

Mais elle n'a aucune vie sociale.

Mais cette fuite va s'achever quand et comment?

Tant qu'elle est petite, il s'en sort bien, mais plus tard, à l'adolescence?

J'entendais derrière son discours qu'il se doutait de l'impasse dans laquelle il s'était engagé, même si en apparence il vit dans la plus grande liberté. Pas de contraintes professionnelles, ni matérielles, ni humaines. Pas de contraintes sociales, mais pas de société. Peut-on vivre en dehors de la société? Un adulte seul, pourquoi pas, c'est un choix de vie, mais une petite fille?

Et plus le temps passe, plus il s'enfonce probablement dans cette impasse, sans savoir comment en sortir.

Peut-être ai-je un rôle à jouer ? Peut-être juste celui d'emmener sa fille à l'école jeudi. Et advienne que pourra.

Je vais quand même mal dormir et Gaël me fera la même remarque que ce matin. Cela dit, il ne doit pas beaucoup dormir non plus. Torturé comme il est. J'ai à la fois de la peine pour lui et je me réjouis de sa situation. Il avait cette étincelle dans les yeux. Celle qui prouve que le cœur bat à cent à l'heure en profondeur et qu'il rend vivantes toutes les cellules endormies par le temps, le poids de la routine, et le manque de perspectives.

Laissez s'installer un peu d'amour au fond de vous, et tout pétille à nouveau. Vous redevenez une coupe de champagne, vous êtes le champagne, la légèreté des bulles et l'ivresse qui va avec.

Dire que j'aimerais ne plus être seule, et que mon frère de cœur a deux tranches de jambon dans sa vie. Le calculateur géant de l'univers déraille parfois.

Cela dit, j'ai l'impression d'être dans une situation plus confortable que lui. Plus confortable mais moins pétillante. L'eau plate face au champagne. Je n'ai rien à fêter. Et pourtant, je trinque. De cette solitude pesante.

Il trinque aussi, de frustration, de renoncement, d'attente et d'espoirs non comblés. Mais il a aussi l'ivresse.

Il a surtout l'ivresse.

Mercredi 16 juin 2010
Bricolage

Cela fait au moins six mois que je n'ai pas conduit de voiture. Je fais preuve de prudence pour sa prise en main. Il serait embêtant qu'en plus de la roulotte, j'endommage le véhicule. Déjà que je m'incruste.

Anna-Nina semble avoir adopté Valentine avec une simplicité enfantine. Elle découvre des éléments étrangers à notre univers habituel. Comme celui de venir se lover contre moi et tendre son cou en me demandant si je sens quelque chose. Bien sûr que je sens. C'est le parfum de Valentine. Quand il s'ensuit un regard complice entre elles deux, je comprends que je la prive de ces petits plaisirs simples dont elle aurait besoin. Moi, je lui fabrique des bricolages avec des branches de bois, je trafique son vélo pour qu'il fasse des bruits rigolos quand elle roule, nous faisons la bagarre ensemble, je lui apprends mille choses du quotidien, mais je suis incapable de lui transmettre ces éléments de féminité.

Ce matin, la petite était enchantée à l'idée que je parte faire des courses en la confiant à Valentine.

Ah.

Alors, tant qu'à me sentir exclu, j'en profite pour prendre mon temps. Je n'ai jamais un moment à moi. J'achète le journal et je vais boire un café à la terrasse d'un restaurant. Finalement, je n'ouvre pas le journal, et je regarde passer les gens. La personne âgée, branlante sur ses jambes, le jeune adolescent discret et voûté comme si la terre entière pesait sur ses épaules, le couple d'amoureux qui se tiennent par la main et s'embrassent tous les cinq pas. Et moi, dans tout ça ? J'entre dans une case ?

Je prends ensuite le temps de flâner dans les rayons du magasin de bricolage. Des planches, il y en a à foison dans la grange. Gustave m'a dit que je pouvais me servir. Et même construire une deuxième roulotte si le cœur m'en disait. Je vais déjà me contenter de redonner vie à celle-ci. Heureusement les capteurs solaires ne sont pas endommagés. Je n'ai qu'un travail de menuiserie à réaliser.

La caissière est jolie. Jeune, souriante, engageante, le regard pétillant. Depuis combien de temps n'ai-je pas pris soin de regarder une femme sourire ? Et une femme tout court ?

Me voilà gêné de ces pensées.

D'autant qu'en l'observant se reculer pour mieux saisir un de mes objets volumineux sur le tapis roulant, j'entrevois un petit ventre arrondi. Je pense au futur papa, à cette joie que j'éprouvais à ce moment précis de mon histoire.

Je leur souhaite le meilleur. Le pire n'a pas besoin d'arriver trop souvent sur cette putain de terre injuste. Mais j'ai mal.

Je lui dis au revoir poliment. Après tout, elle n'y peut rien, à ma peine.

J'en profite pour passer acheter une petite tenue neuve pour Anna-Nina, qu'elle enfilera demain pour aller à l'école. Qu'elle ait fière allure quand même, ma fille. Elle a toujours fière allure à mes yeux, mais sous l'œil impitoyable de ses camarades de classe, qu'en sera-t-il ? Je sais qu'ils se comparent, se mesurent, se jugent entre eux. Je veux qu'elle fasse bonne impression, surtout pas qu'elle semble marginale.

Je regrette d'avoir dit oui.

J'ai pris trois heures pour moi, juste pour moi. Ça fait du bien. Et je me sens coupable. Pas de l'avoir laissée, non, de ressentir ce bien-être d'être seul, juste quelques heures. Sophie, sa marraine, me dirait que c'est normal, que j'ai bien le droit de souffler de temps en temps. Oui, mais je suis son père et elle n'a que moi.

Quand je me gare dans la cour, je n'aperçois personne dans le jardin. J'entre dans la maison, je jette un œil dans le salon, j'essaie d'entendre leurs voix, en vain. Alors je ressors et j'attends, assis sur le perron, en caressant le chien, qui est venu se coucher à mes pieds après avoir posé sa tête sur ma cuisse et m'avoir jeté un œil implorant un peu d'affection.

Il se passe quelques minutes avant que je n'entende Anna-Nina éclater de rire. J'ai l'impression que le son provient de l'autre côté du corps de ferme, là où je ne suis encore jamais allé. Plus je m'approche, plus les voix sont distinctes. J'hésite à frapper, de peur de les déranger, mais c'est ma fille quand même. Alors j'ouvre délicatement le loquet, pour ne pas faire une entrée fracassante au beau milieu de leur joie.

C'est donc de là que viennent toutes les babioles de la maison, en terre et en bois. Une autre caverne d'Ali Baba.

– Papaaaa ! s'écrie Nanie en me voyant entrer. Regarde tout ce qu'on a fait. Et ça, tu vois, ça ? Je l'ai fait presque toute seule.

Elle tient à bout de bras une petite forme en bois, encore un peu rugueuse de ne pas avoir été poncée, et dans ses yeux, un bonheur simple et lumineux. Quand je regarde Valentine, elle me sourit rapidement, avant de retourner à son atelier. Il est impressionnant d'outils en tout genre, de couteaux, de scies, de pinces. Elle travaille donc le bois et l'argile. J'en suis à me demander si elle a des journées de trente-six heures. Aurait-elle bénéficié d'un supplément de temps par rapport aux autres humains, une rallonge pour bonne conduite ? Sinon, où trouve-t-elle le temps de tout faire, entre son travail, le jardin, la lecture, le bricolage ?

– Je suis seule. Pas d'enfant dont je doive m'occuper le soir, pas de conjoint avec qui passer du temps. Alors j'en ai pour Gustave, le jardin, mon travail et mes passions.

– Vous ne vous arrêtez jamais, en fait.

– Rarement.

– Vous n'êtes pas fatiguée ?

– Probablement moins que certaines personnes qui passent leur journée sur le canapé devant la télé.

– C'est vrai que vous n'avez pas de télé.

– C'est maintenant que vous le remarquez ?

– On n'en a pas non plus dans la roulotte, alors je ne me suis même pas posé la question.

– Anna-Nina est aussi douée de ses mains, c'est très impressionnant.

– Nous bricolons beaucoup.

– Papa, je pourrai faire des choses pour décorer ma chambre ?

– Une ou deux, oui, mais on n'a pas beaucoup de place dans la roulotte, tu sais ?

– Je parlais de la chambre dans la maison.

– Anna-Nina, tu sais, on ne va pas rester indéfiniment.

– Ah bon ?

J'ai le ventre noué en voyant son petit visage triste. Comment lui expliquer ? Lui faire comprendre que nous ne sommes que de passage. Et dire qu'en plus il y a l'épreuve de l'école demain.

Va-t-elle entrer dans le moule ? Moi qui ai voulu lui donner une éducation ouverte et libre, qui la rende indépendante. Ma fille, vingt-deux kilos toute mouillée, rayonne suffisamment pour remplir de lumière le Stade de France à elle seule, et on va lui demander de s'asseoir sur une petite chaise, dans une petite classe, au milieu d'une vingtaine d'autres enfants. Sans dépasser.

J'ai l'impression que Valentine a toujours quelque chose à faire, à ranger, à dire. Et que si elle s'arrête, tout s'arrête, y compris son cœur de battre, comme un moulin qui cesserait de tourner parce qu'on a coupé l'eau. Moi, je ressens l'inverse. C'est quand ça va trop vite dans notre vie que le mien manque s'arrêter.

Apprendre la lenteur n'est pas donné à tout le monde.

Et Anna-Nina a grandi à ce rythme-là. Pas de contraintes, pas de choses à faire par obligation. À part se brosser les dents et se laver chaque jour.

C'est ce qui me fait peur dans sa confrontation avec l'école.

Je regrette vraiment d'avoir dit oui.

Et si elle s'y sent bien, je ferai quoi ?

Mon Hélène,

Je ne sais pas comment je me sens ce soir. Je ne sais pas si je me réjouis d'avoir vu dans les yeux de notre fille cette joie simple de côtoyer Valentine, ou si je suis triste. Et si elle ne veut plus repartir ? Si l'école lui plaît ? Je veux son bien, tu le sais, mais c'est quoi ce qui est bien pour elle ?

Je ne me poserais pas la question si tu étais encore là. Nous serions dans notre appartement parisien, heureux, tous les trois, peut-être même tous les quatre, ou cinq. Tu voulais trois enfants.

Aide-moi...

5 mars 1944
Trop près des vivants

Personne ne vint ce jour-là. Sauf pour lui déposer de l'eau et un peu de pain. Ils avaient peut-être d'autres prisonniers à torturer. Ou alors ils avaient compris qu'elle ne parlerait pas. À moins qu'ils aient eu quand même une once de compassion pour le bébé qu'elle portait. Ça aurait bien étonné Suzanne. Il n'avait pas bougé depuis qu'elle était là. Elle ne savait pas s'il était mort. Il avait quand même manqué d'oxygène. Ou alors il se terrait pour passer inaperçu.

Comme il était difficile d'être là sans rien savoir. Ni si son bébé vivait encore. Ni s'ils reviendraient, ni si le seau l'attendait au milieu de la pièce froide et sombre. Ni s'ils la relâcheraient. Ni comment ça se passait là-haut, à la ferme. Le vieux Robert, leur voisin, lui avait bien dit, quand ils l'emmenèrent, de ne pas s'inquiéter, qu'il s'occuperait de tout. Elle savait qu'il en était capable. Qu'il s'userait à faire deux journées en une, mais qu'il le ferait pour elle, pour eux. Était-il encore là-haut ?

Elle ne savait surtout pas comment allait Léon. Elle trouvait le temps long. Depuis son départ dans le maquis, il y avait quelques mois, elle sentait un vide. Comme s'il lui manquait un morceau. Suzanne se recroquevilla, assise à même le sol, elle ferma les yeux et pensa à lui, à ces moments doux où il la prenait dans ses bras en rentrant des champs. Quand il appuyait furtivement son index sur le bout de son nez. Elle savait que ça voulait dire qu'il la trouvait drôle, ou qu'il tenait à elle. C'était bête, c'était insignifiant, mais c'était leur petit geste à eux. La première fois qu'il l'avait fait, ils étaient couverts de neige tout en bas de la piste de luge.

Ils étaient heureux. Tout allait bien. La vie s'ouvrait à eux, simple mais joyeuse, dans leur montagne, avec leurs animaux et leurs fromages. Ils ne demandaient rien à personne. Mais une armée entière était arrivée pour les envahir, les écraser, faire éclater leur famille et leurs rêves. Et ils n'avaient pas eu le choix.

Si. Résister, comme ils pouvaient. À quoi bon ? Si elle n'avait pas eu cet enfant dans son ventre ni l'espoir de retrouver Léon, elle aurait aimé qu'ils reviennent la chercher pour le seau, et elle se serait laissée aller vers la lumière blanche.

Mais l'espoir faisait vivre.

L'espoir dissuadait surtout la mort, cette hyène, de rôder trop près des vivants. Qu'elle aille donc s'occuper des désespérés en premier.

Suzanne attendrait.

Jeudi 17 juin 2010
À l'école

Ils sont déjà à table quand j'arrive dans la cuisine. J'ai eu du mal à me lever ce matin. Les préparations que je fais généralement le mercredi ont été sacrifiées sur l'autel du plaisir d'un après-midi avec la petite. J'ai donc travaillé au-delà de minuit.

Silencieux autour de leur petit déjeuner, le nez dans leur bol. On ne peut pas dire que la joie flotte dans cette pièce, même si Anna-Nina me sourit largement en me voyant arriver. Je suppose qu'elle ressent une certaine anxiété à l'idée de venir avec moi à l'école. Il doit en être de même de son père, qui me salue simplement, sans sourire, et en replongeant immédiatement son visage dans la vapeur de son café brûlant.

— Tu es prête, Anna-Nina ?

— Oui ! me répond-elle dans le quart de seconde.

— Tu peux aller te prendre un goûter sur l'étagère, tu sais où le trouver...

— Je n'ai pas de sac.

— Je vais t'en prêter un, ça n'a pas beaucoup d'importance. Et vous ? Vous êtes prêt ?

– À quoi ?
– À la laisser aller à l'école.
– Je ne suis pas sûr d'avoir encore le choix.
– Ne vous inquiétez pas, ça ira.
– Si vous le dites.
– Et si ça ne va pas, elle n'y retournera pas, et puis voilà.
– Et si ça va ?

Je sens bien dans cette question l'embarras qu'il ressent à envisager les conséquences de cette initiation à la vie scolaire. La fin de l'année est proche, et ça lui laissera le temps de se retourner pour réfléchir à la suite de sa vie. Je me sens cependant comme un missionnaire qui essaie de convertir des mécréants au bien-fondé de sa religion. Peut-être simplement parce que je suis persuadée que cela fera du bien à la fillette.

Éric est adossé à l'encadrement de la porte quand nous partons en voiture. Il sourit à sa fille, mais ses yeux sont tristes. Il semble tellement souffrir de la situation que je me sentirais presque coupable si je n'avais cette intime conviction que cela se passera bien. J'ai évidemment briefé mes élèves mardi pour leur demander beaucoup de bienveillance, de gentillesse et de douceur à l'égard d'Anna-Nina, en leur expliquant qu'elle n'a pas l'habitude de voir autant d'enfants, parce qu'elle a eu une vie différente jusqu'à présent, mais qu'elle a beaucoup à partager avec eux. Une classe de vingt-deux élèves sur deux niveaux me permet d'espérer une ambiance sereine dans une situation comme celle-ci.

Gaël a quand même la délicatesse de ne pas m'assaillir d'un tonitruant « aloooooors ? » tant qu'Anna-Nina est encore avec moi. D'ailleurs elle se laisse vite embarquer par les gamines de la classe, et en particulier Charlotte, à qui j'ai donné la jolie responsabilité d'être sa marraine d'accueil. Elles sont un petit groupe de quatre filles, et Arthur, qui fait semblant de jouer juste à côté mais qui ne perd pas une miette de leur conversation, j'en suis certaine.

– Aloooooors ?
– Alors quoi ? Ce que j'ai fait hier ? Du bricolage, et toi ?
– T'as fini, oui ? Raconte, bon sang ! Il t'a tout expliqué ?
– Oui.
– Et tu as réussi à amener sa fille à l'école ?
– Non, je l'ai kidnappée. D'ailleurs, préviens-moi si les flics débarquent, de ton bureau tu les verras débouler avant moi.
– Ce que tu es drôle !
– Je sais. Et toi, impatient. Pour une fois que les rôles sont inversés, tu penses bien que je vais en profiter. D'ailleurs, c'est l'heure de sonner l'entrée en classe, non ?
– Non. Raconte-moi au moins les grandes lignes.

Je prends quelques minutes pour lui expliquer la situation de cet homme et de sa fille qui vivent depuis sept ans dans leur roulotte. Je parle en observant Anna-Nina qui sourit à ses camarades tout en cherchant mon regard de temps en temps, pour se rassurer probablement. Charlotte l'a prise par la main et l'a emmenée à l'autre bout de la cour, dans cette petite cabane que nous avons construite tous ensemble il y a deux ans.

– Et il pense qu'il peut continuer longtemps comme ça ?
– Je n'en sais rien. Par contre, je crois qu'il a peur qu'Anna-Nina se sente bien à l'école.

– T'imagines les conséquences ? Il serait obligé de se sédentariser. Quand je te dis que c'est peut-être l'homme de ta vie.

– Arrête donc. C'est pas mon genre.

– Je ne connais que deux genres, le masculin et le féminin. Que je sache, tu n'es pas attirée par les filles.

– Nous ne vivons pas au même rythme. Tu sais bien qu'il faut que ça bouge dans ma vie pour que je sois heureuse. Et lui traverse la journée plus lentement que le temps qui passe.

– Tu es heureuse d'être hyperactive ou tu bouges tout le temps pour oublier que tu n'es pas heureuse ?

– Gaël, me balancer ça à huit heures du matin, c'est vil de ta part.

– C'est vrai. Ça ferait un bon sujet pour le bac philo. Tu as trois heures.

Je ne planche évidemment pas sur son sujet. De toute façon, ça fait des années que j'évite d'y réfléchir. Pour l'instant, j'ai installé les enfants dans la bibliothèque, sur les coussins, et j'ai proposé qu'on fasse connaissance avec Anna-Nina et qu'elle nous parle de sa façon de vivre. Elle est d'accord pour répondre aux questions que se posent les autres enfants. Hier, j'ai pris soin de faire quelques photos de la roulotte et des chevaux pour avoir un support de départ.

– Tu as une chambre pour toi dans la roulotte ?

– Je dors sur un lit au-dessus de celui de mon père. On n'a qu'une pièce, alors c'est à la fois ma chambre, le salon et la cuisine.

– Et c'est pas trop petit ?

– Non, parce qu'on est souvent dehors.

– Vous avez la télé ?

– Non.

– Ça te manque pas ?

– Ben non.

– Tu sais lire ?

– Ben oui.

– Qui c'est qui t'a appris ?

– Mon père.

– Il est maître d'école ?

– Non.

– Alors comment il sait ?

– Il sait plein de choses.

– Et il y a des toilettes dans la roulotte ?

– Oui.

– Mais ça part où après ?

– C'est des toilettes sèches, avec de la sciure.

– Ça marche comment ?

– On fait dans un seau et on recouvre de sciure, et de temps en temps, mon père va le vider dans la forêt.

– Vous trouvez où la sciure ?

– Dans des scieries, ou dans des magasins pour les animaux.

– Comment il gagne de l'argent, ton père ?

– Il en a.

– De où ?

– Je sais pas.

Je laisse les questions fuser. Les yeux des élèves trahissent la surprise, parfois l'envie, pour certains le dégoût, durant l'épisode des toilettes sèches en particulier. Dès qu'il y a un semblant de jugement, j'interviens pour ramener le débat à un échange. Je leur apprends depuis le premier jour à respecter les autres dans ce qu'ils sont, pensent, vivent, ressentent. C'est difficile pour certains de faire la part des choses quand ils n'ont jamais entendu que des jugements préconçus au sein de leur famille, mais je ne lâcherai pas cet aspect de mon enseignement tant je pense qu'il est la base de tout le reste.

Anna-Nina s'est détendue, et elle semble ravie de l'intérêt que les autres enfants lui portent, maintenant qu'elle est assurée qu'ils ne sont pas dangereux. Mais il y a la question d'Arthur, l'enfant discret, sensible, attentif, qui ne ferait pas de mal à une mouche et qui la pose probablement avec bienveillance...

– Et ta maman, elle est pas avec vous ?

Anna-Nina se tourne vers moi en appelant de ses yeux une réponse. Doit-elle leur dire ou pas ? Je cligne doucement les paupières pour approuver.

– Elle est morte quand je suis née.

Je leur apprends le respect des autres, mais aussi ce qu'est la vie, la vraie vie, sans leur cacher ce qui peut faire de la peine. Ils le savent sans qu'on leur dise, de toute façon. Les enfants restent silencieux un moment, en se regardant, ou en fixant le bout de leurs chaussures.

– Mais mon papa me dit que c'est pas de ma faute et que c'est la vie qui a décidé comme ça, que de toute façon, on n'y peut rien, alors je suis heureuse quand même.

Respiration générale. Cette petite est incroyable de sagesse et de maturité.

J'en profite pour mettre fin à cette séance découverte

et reprendre le cours où je l'avais laissé mardi, après avoir installé Anna-Nina à côté de Charlotte.

Tout au long de la journée, je m'aperçois qu'elle a un sacré train d'avance sur les autres, dans la plupart des matières. C'est assez impressionnant. Par moments, elle se lève pour aller aux toilettes ou boire un verre d'eau sans attendre la récréation, sans même en demander l'autorisation, mais comment lui en vouloir ? C'est ainsi qu'elle a appris à vivre, en respectant ses besoins naturels, sans contrainte. Ce sont les autres enfants qui devraient fonctionner ainsi, mais tout le monde me répondra que c'est impossible dans une collectivité.

J'y réfléchirai. Finalement, cette petite va peut-être nous ouvrir de nouveaux horizons.

Quand la sonnerie de seize heures retentit, je vois Charlotte lui faire un bisou et lui offrir un dessin, puis lui lancer « à demain » avec le sourire naturel de l'innocence.

Lorsque les derniers enfants quittent la classe, je viens m'asseoir à côté d'elle et je lui demande comment elle a vécu cette première journée.

– J'ai bien aimé, mais je sais pas si je dois le dire à mon papa.

– Et pourquoi tu ne lui dirais pas ?

– Parce que peut-être qu'il n'a pas envie que l'école me plaise, puisque je n'y vais jamais.

– Je pense qu'il a surtout envie que tu sois heureuse. Si tu vis quelque chose d'agréable, je ne pense pas qu'il faille le lui cacher. Il attend de toi que tu lui dises la vérité de ce que tu ressens, non ?

— Mais si ça lui fait de la peine ?

— Il est grand et même s'il a de la peine, il saura se réjouir de ce que ça t'a apporté.

— Je pourrai revenir demain ?

— Bien sûr, et tous les jours qui suivent, si tu le souhaites, et si ton papa est d'accord.

— Charlotte est gentille. Elle m'a donné son dessin. Je lui en ferai un ce soir, pour lui donner demain.

— C'est une bonne idée. On va raconter tout ça à ton papa ?

Je fais signe à Gaël que nous rentrons et qu'il veuille bien fermer l'école. Il lève le pouce en guise d'accord avec un clin d'œil et lance un baiser aérien qui s'envole au bout de ses doigts. Le temps de rejoindre la voiture, Anna-Nina m'a pris la main. J'ai plaisir à tenir la sienne. Cette petite est attachante, elle dégage une énergie magnétique et solaire. Elle ne parle pas dans la voiture, et regarde par la fenêtre. Son corps suit les mouvements du véhicule, comme si elle n'y opposait aucune résistance. Se laisser aller dans la vie, sans chercher à maîtriser la trajectoire. J'espère que son père fera de même.

— Papaaa, crie-t-elle en l'apercevant qui revient du hangar, après nous avoir entendues arriver.

— Alors, ma puce, c'était bien ?

Je l'observe du coin de l'œil en sortant ma sacoche de la voiture. Elle ne montre pas le même entrain qu'après la classe. Cette petite a la finesse d'épargner son père. C'est tellement touchant que je sens monter une bouffée d'émotion dans ma gorge. Ces deux-là ne font presque qu'un tant ils se sont construit un monde où l'absence de l'autre n'est même pas envisageable. Sa souffrance encore moins. Et pourtant...

– Je pourrai y retourner demain?

– Il faut voir ça avec Valentine, lui répond-il en me cherchant du regard.

Elle connaît la réponse, évidemment, mais elle a l'élégance de laisser son père penser que c'est lui qui décide. Je la vois ensuite s'engouffrer dans la cuisine en nous criant qu'elle va se préparer une tartine, parce qu'elle est affamée, et qu'elle va voir Gustave, qui lui a promis, la veille, de l'attendre pour semer les haricots.

Je m'assois sur le rebord extérieur de la fenêtre, en espérant qu'Éric fera de même, pour parler un peu de sa fille. Rien n'est moins sûr.

Nous la voyons dévaler les trois marches du perron, avec son énorme morceau de pain généreusement beurré et dégoulinant d'une confiture de fraises qui atteint déjà son poignet. Elle court en direction du jardin, en lançant «à tout à l'heure» sans même se retourner.

Éric ne lève pas la tête. Peut-être pour ne pas montrer son dépit. Il s'affaire sur un morceau de bois qu'il est en train de tailler avec un couteau.

– Les réparations avancent?

– Oui, doucement.

– Anna-Nina nous a parlé de vos conditions de vie. Ça semble ingénieux.

– On n'a pas le choix, dans une roulotte, il faut gérer l'espace au mieux pour être à l'aise.

– J'aimerais la visiter, c'est possible ?

– Si vous voulez. Maintenant ?

– Gustave a au moins trois cents graines de haricots en stock.

– Je vous préviens, c'est un peu le chantier.

– Et alors ?

Il fait un petit geste de la main semblant signifier « alors rien » et se met en route vers la roulotte.

Il me précède pour monter les trois marches de l'escalier à l'avant du véhicule. Un petit banc se trouve là, mais il m'explique qu'il ne dirige les chevaux que debout, pour avoir une meilleure visibilité et surveiller le comportement des animaux. Un siège surélevé et confortable, à l'abri du toit, est installé là, probablement pour la petite. Puis il m'ouvre la porte. Et là, je replonge dans mes souvenirs d'enfance, avec cette impression d'entrer dans une maison de poupée. L'aménagement intérieur est tout en bois et tissu. Immédiatement après la porte vitrée de l'entrée se trouve la petite cuisine prolongée par un minuscule habitacle doté d'un miroir surplombant une grande bassine en céramique. Deux brosses à dents sont posées juste à côté, un rasoir, une brosse à cheveux et des élastiques roses.

En dépassant ce minuscule espace, j'aperçois l'évier et le plan de travail.

– Vous avez un Thermomix ? Dans la roulotte ?

– Pourquoi pas ? Je fais tout avec cet appareil. Il n'y a pas un jour où je ne l'utilise pas. C'est très pratique.

– Mais comment faites-vous pour l'électricité ?

– L'électricité ? J'en ai à revendre. Je suis parfois obligé de laisser les ampoules allumées en journée pour ne pas bousiller ma batterie. J'ai des panneaux solaires sur le toit, qui me fournissent largement ce dont j'ai besoin.

– Et pour l'eau ?

– J'ai une cuve sur le toit aussi, que je remplis plus ou moins selon le dénivelé que nous avons à franchir dans notre itinéraire. Les chevaux ne doivent pas trop se fatiguer non plus à tirer du poids inutilement.

– Mais où la trouvez-vous ?

– Dans les cimetières, les fontaines de village, chez les gens qui veulent bien nous en donner.

– Mais pour l'envoyer là-haut ?

– Une petite pompe, puisque j'ai trop d'électricité.

– Ça paraît tellement facile.

– Ça l'est quand on ne se crée pas de problèmes. Nous achetons de l'eau en bouteille, pour ne jamais en manquer pour boire, mais si nous restons une journée sans eau courante pour nous laver, ce n'est pas dramatique non plus. On trouve toujours une solution.

– Et pour vous chauffer en hiver ?

– Nous avons un poêle à bois.

– Où trouvez-vous le bois ?

– Dans la forêt. Sinon, je l'achète. Je vous ai dit que je n'avais pas de problèmes d'argent. Et puis, notre vie ne nous coûte pas cher. Pas d'emprunt à rembourser, pas de voiture à entretenir, ou d'essence à payer, très peu de matériel. Nous avons une vie simple.

– Et pour la lessive ?

– Il y a des lavomatiques un peu partout, ou des campings équipés, ou alors des habitants accueillants. Au pire il y a les fontaines et les ruisseaux.

– Vous devez inspirer de la sympathie chez les gens, surtout avec la petite...

– Nous sommes bien acceptés, oui, mais ce n'est pas le but non plus. Je ne veux pas être dépendant.

– Et pour les chevaux, vous faites comment ?

– On s'adapte à leur rythme. Il faut simplement que je trouve de quoi les nourrir. Une bordure de champ, un coin de pré, les sous-bois en hiver. Et si vraiment c'est compliqué, on achète du foin. Je m'arrête dans les centres équestres ou chez les agriculteurs.

La roulotte s'ouvre ensuite sur une pièce plus large, comprenant une table, à côté d'un poêle à bois, de nombreux rangements disposés en hauteur et le long des cloisons. Au fond, derrière une petite séparation en pin clair, se trouvent les deux lits, celui du père, en bas, assez large, et au-dessus un lit superposé pour la petite. Il abrite quelques poupées et peluches, et est bordé de deux petits rideaux, qu'il doit fermer le soir pour qu'elle se sente dans son cocon. Une fenêtre en hublot lui permet de voir l'extérieur depuis sa couche. Elle doit s'y sentir bien.

Il y a dans un coin de cette pièce un bureau supportant un ordinateur et une imprimante, avec de nombreux tiroirs remplis de feutres, de crayons de couleur, de matériel de bricolage, de papiers de toutes sortes.

En entrant dans leur maison roulante, je pénètre, troublée, dans l'intimité de leur vie. Je les imagine, le soir, lui à son ordinateur, imprimant des dessins de coloriage ou des exercices, elle bricolant sur la table, au coin du feu ; un peu plus tard, lisant ensemble un livre dans le lit du bas, avant que la petite ne monte à son étage. Je les imagine cuisiner, puis manger sur cette même table. Ou le soir, se brosser les dents ensemble. Ils n'ont rien de marginal, si ce n'est leur mode de vie.

Je suis troublée aussi quand il se poste juste à côté de moi, le bras en appui sur la cloison en bois, presque au-dessus de mon visage. L'espace est exigu et la promiscuité inévitable. Je sens la chaleur de son souffle.

– Vous avez Internet ?

– Quand je suis dans un camping ou chez des gens qui me prêtent leur Wi-Fi, mais je ne l'utilise pas souvent. Pour relever mes messages, ou faire des recherches sur nos prochaines destinations, et sur les programmes scolaires, un peu.

– Je ne m'attendais pas du tout à ça.

– Vous vous attendiez à quoi ? À de la saleté et du fourbi ? Des habits rapiécés et des vieilles casseroles bosselées ?

– Non ! Je ne m'attendais à rien, je crois. Je vais rentrer préparer le repas de ce soir, et vous laisser à vos réparations. Vous êtes d'accord pour qu'elle revienne avec moi demain à l'école ?

– Ai-je le choix ?

– On l'a toujours.

– Et si je vous disais que non ?

– Je vous dirais que c'est dommage, et je serais déçue, mais pas autant qu'elle.

– Vous voyez que je n'ai pas le choix.

Un peu plus tard dans la soirée, Anna-Nina s'est empressée de finir son dîner et elle s'est installée sur la table basse du salon avec du papier et des feutres. Le dessin pour Charlotte. Elle ne dit rien. Éric non plus. Il range la grande table en silence. Elle vient de raconter tout ce qu'elle a fait à l'école, toutes les questions qu'on lui a posées, les enfants avec qui elle a joué. Son père lui sourit machinalement, mais je perçois la grimace qu'il tente de réprimer. Que pouvais-je faire d'autre? Les laisser chez moi le temps de la réparation et les voir repartir sans avoir ouvert à l'enfant un champ de possibles sur ce qui lui manque probablement? Car l'école ce n'est pas que l'instruction, c'est aussi la découverte des autres et la construction de sa personnalité à leur contact. Anna-Nina termine son dessin et insiste pour monter se coucher seule, comme si elle avait grandi d'un coup. Notre moment tisane nous donne ensuite l'occasion d'aborder sa vie sociale à lui.

— Je n'ai jamais été très exubérant en société.

— On peut avoir des amis sans être exubérant.

— J'ai quelques amis. Je garde le lien grâce au téléphone, à l'Internet et en leur rendant visite quand je le peux.

— Et vous n'avez pas d'amie avec un *e*?

— Non.

— Quelle intimité avez-vous dans cette vie-là? Je veux dire, quelle intimité d'homme?

— Je ne suis pas sûr que la réponse vous regarde.

— Vous n'êtes pas obligé de répondre.

Moi et mes questions directes, parfois sans penser à l'embarras qui s'ensuivra. Mais je me suis vraiment fait la réflexion. Cependant, Gaël me dirait que ce n'est pas parce que je me pose une question qu'il faut absolument que j'aie la réponse. Je lui répondrais qu'il ne sert à rien de se poser des questions si on ne se donne pas les moyens d'y trouver les réponses. Il ajouterait qu'il suffit de ne pas s'en poser. Auquel cas, je conclurais que ce n'est pas dans mes cordes. Il approuverait en se moquant.

Connaissant vaguement l'homme qui est en face de moi, il va se braquer, et je me demande s'il ne regarde pas le fond de sa tasse de tisane en se demandant simplement s'il va partir en la laissant là, ou s'il aura au moins l'élégance de la déposer dans l'évier. Il fait tourner d'un mouvement régulier le restant de son breuvage en ne le quittant pas des yeux. Les secondes passent, rythmées par la vieille horloge du salon qui tic et qui taque inlassablement sur son silence pesant.

Et puis…

– Ça n'est pas vital. On peut vivre sans, me dit-il.

– Ça fait du bien quand même…

– Mais on peut vivre sans.

– Ça fait partie de la santé globale.

– Je suis en bonne santé sans ça. Et vous ? Vous êtes seule aussi ! Comment faites-vous ?

– Ça me manque. Je le reconnais.

– Moi, je n'ai pas le choix. Il n'y a pas de place dans la roulotte pour une femme.

– Dans la roulotte ou dans votre vie ?

– Ma vie est dans la roulotte.

Il finit par avaler le restant de sa tisane, et se lève pour rincer sa tasse sous un filet d'eau.

– Ne vous inquiétez pas pour moi.

– Je m'inquiète pour *vous* au pluriel.

– Nous allons bien. Sans femme.

Il essaye de mettre une bonne dose de certitude dans sa voix pour affirmer cela, mais je vois dans ses yeux qu'il n'est pas si convaincu. Il m'implore du regard d'y souscrire alors qu'il ne semble pas y croire une seconde.

Peut-on à ce point se mentir à soi-même ?

6 mars 1944

C'était déjà le soir.

Quand le bruit du loquet de la porte résonna dans le couloir, Suzanne ne sut pas si c'était pour un nouvel interrogatoire ou pour recevoir à boire et à manger. Peut-être pour être libérée. Ne jamais savoir. Vivre dans la peur et l'incertitude. Elle était si jeune pour supporter seule tout cela. Elle n'était pas seule. Mais presque. Son bébé ne bougeait toujours pas.

Pas de nourriture.

Pas de seau non plus.

Elle fut conduite sans ménagement dans la cour. Il neigeait à gros flocons et elle n'avait toujours que sa chemise de nuit et son gilet. À quoi bon résister ? Elle se laissa pousser par le soldat, les yeux vers le sol pour ne pas trop voir où elle allait. Le chemin n'était pas très beau en ce moment. Et puis, il faisait nuit. Quand elle sentit la main froide du type sur son épaule qui la retenait au milieu de la cour et qu'elle leva enfin la tête, elle ressentit une joie immense. Il était là, à deux mètres d'elle. Léon. Son Léon. Il la regarda intensément. Puis il regarda son ventre. Puis ses yeux, à nouveau. Les siens étaient noyés de peine. Comme s'il regrettait tout ça. Il regrettait la guerre, l'horreur de l'occupation sans pitié et sans humanité de ces salauds qui les détruisaient. Mais il ne regrettait pas la lutte. Il n'avait pas pu faire autrement. Et c'était aussi pour ça que Suzanne l'aimait si fort. Elle arriva un instant à s'extraire de la réalité pour se revoir avec lui quelques années auparavant, sous la même neige, en haut de la piste de luge. L'insouciance laissa alors la place à la souffrance. Suzanne ressentit une rage incroyable au fond d'elle. Elle les aurait tous tués si elle l'avait pu. Sans plaisir, mais sans état d'âme. Tués tous pour retrouver son homme.

« Regarde-la bien, c'est peut-être la dernière fois que tu la vois », lança le sale type qui se tenait entre eux deux. Elle le reconnut. C'est lui qui se chargeait d'enfoncer fermement sa tête sous l'eau. Il la regarda et ajouta à l'adresse de Léon qu'il devait tenir à cette femme pour s'être rendu de son plein gré afin d'obtenir sa libération.

Suzanne regrettait qu'il l'ait fait. Même si elle savait qu'ils allaient la relâcher. Même si elle savait qu'il la sauvait en se sacrifiant. Il était tellement utile à la lutte. C'était à elle de partir. Et elle allait rester, en espérant qu'elle n'aurait jamais à supporter l'idée qu'il soit mort de l'avoir sauvée.

Suzanne avait envie que Léon la prenne dans ses bras. Cette envie était si forte qu'elle avait l'impression que son corps se déplaçait seul, comme un aimant attiré par un autre aimant. Mais la situation resta figée. Juste leurs yeux pour se toucher. Et puis, ils l'emmenèrent. Il eut à peine le temps de lui souffler qu'il l'aimait avant de recevoir un coup derrière la tête.

Le reverrai-je un jour ?
Il neigeait toujours. Dans la nuit.

Elle ne se débattit même pas quand on l'emmena vers la sortie. Ça ne servait à rien. Elle n'avait pas la force. Non, elle ne le reverrait peut-être jamais. Ses jambes ne la portaient que dans un dernier élan. Une fois passé le grand portail en fer forgé qui la séparait du trottoir, elle s'écroula. Son corps tremblait de froid et de rage.

Elle ne sentit pas immédiatement la main qui se posa délicatement sur son épaule.

Vendredi 18 juin 2010
Comme le trafic d'un aéroport international

Anna-Nina et Valentine sont parties depuis une heure. J'ai accompagné leur départ d'un signe de la main depuis le perron et suis revenu finir mon café et ranger la cuisine. Je suis assis là, et je pense à elle.
À elles.
Elles s'entendent bien, ça se voit tout de suite. J'en ai mal au cœur de voir le piège se refermer sur moi. Comment vais-je annoncer à ma fille que nous repartons, quand j'aurai fini les réparations ? Si elle s'est attachée à cette femme, la séparation sera déchirante. Pourquoi je n'ai pas frappé à la porte d'une autre maison, celle d'un vieux célibataire bourru par exemple, qui ne nous aurait hébergés qu'une nuit, sans chercher à connaître notre vie, ni surtout à envoyer Anna-Nina à l'école ?
Je n'ai envie de rien. Même pas de me lever pour aller finir les réparations. Mais d'un autre côté, plus vite la roulotte sera à nouveau en état, plus tôt nous repartirons et elle ne se sera pas trop attachée.
Ce matin, je la vide de fond en comble pour ne pas abîmer les affaires avec les travaux, et pour mettre un peu

d'ordre dans tout ça. Valentine m'a indiqué le grenier, hier, au-dessus de la grange, là où elle fait sécher son linge. Je vais profiter de cette journée ensoleillée pour faire au moins trois lessives. Rafraîchir le linge d'été et ranger proprement celui d'hiver, en constatant au passage que ma fille grandit. La plupart des affaires seront trop petites dès l'automne.

En regardant ce grenier rempli de nos affaires, j'ai conscience que toute notre vie est là. C'est peu, mais je me sens bien. L'intérieur de Valentine est bourré de petites choses, jolies mais inutiles. Moi, je dois réfléchir à chaque objet que je fais entrer dans la roulotte. Et me débarrasser de ce qui m'encombre ou de ce qui n'a plus d'utilité. Je suis bien comme ça. Tout ce que nous possédions avec Hélène a perdu son sens quand elle est partie, alors à quoi bon ? Je garde quand même tous mes cahiers, les photos et quelques souvenirs pour Anna-Nina.

Même dans ce grenier on sent l'activité permanente de Valentine. Des oignons y sèchent, ainsi que son linge, il y a, entreposés là, de la matière première pour son bricolage, des morceaux de bois et quelques outils.

Ce soir elles me feront le compte rendu de leur journée. On verra bien. Il y aura le week-end pour réfléchir à la suite.

Comme je le fais plusieurs fois par jour, je vais voir les chevaux, que Gustave m'a proposé d'installer chez un ami, quelques champs plus haut, où ils ont de quoi se nourrir pour un moment. Ils vont bien et semblent profiter agréablement de cette pause forcée. Plus de besogne quotidienne, juste l'herbe verte d'une prairie face à la montagne ensoleillée. Qui sait, les chevaux admirent peut-être aussi le paysage. Ils me manquent. Notre promiscuité est permanente depuis sept ans. Je les dirige, ils m'obéissent, nous formons une équipe, dans les bons moments et dans les difficultés. Et là, j'ai l'impression qu'ils ne servent plus à rien. Ou est-ce moi qui leur suis devenu inutile ? Comment savoir s'ils sont plus heureux à brouter dans ce champ ou harnachés aux sangles à tirer trois fois leur poids ? Et moi, comment savoir où je suis plus heureux ? C'est peut-être le mode de traction avant qui me manque, celle qui me permettait de fuir.

Je retourne à la roulotte, après avoir suspendu la première lessive sur les cordes qui traversent les combles et avoir mis en route la deuxième. Je pense à ma fille, en voyant passer ses vêtements entre mes mains.

Alors que je travaille dans l'habitacle depuis une bonne heure, Gustave vient me proposer un café et vérifier que je n'ai besoin de rien. Nous nous asseyons sur le petit banc à l'avant du véhicule et regardons le jardin et la vue sur les montagnes à travers la porte grande ouverte du hangar, notre tasse à la main. Le temps est dégagé. C'est le paradis ici pour celui qui aime le calme, la nature, la montagne et la fraîcheur des soirs d'été. Valentine a finalement fait le bon choix en s'installant ici, après avoir hérité de la maison de ses grands-parents et trouvé un poste dans un village en contrebas. La vie est probablement rude par moments, surtout l'hiver, pourtant, avec Gustave, ils se sont fabriqué un cocon, certes riche en

labeur et en journées denses, mais confortable, matériel-
lement et humainement.

– Ne lui faites pas de mal, à ma Valentine.

– Pourquoi je lui ferais du mal ? Ce n'est pas du tout
dans mes intentions !

– C'est elle qui pourrait s'en faire.

– En quoi j'en serais responsable ?

– Avec vous.

– Pourquoi vous me dites ça ?

– Parce que Valentine est compliquée.

– Compliquée comment ?

– Comme le trafic aérien d'un aéroport international.

– Eh bien ! Elle sait que vous me dites ça d'elle ?

– Bien sûr que non. Mais j'essaie de la protéger comme
je peux.

J'ai du mal à avaler mon café tant je suis surpris par
l'apostrophe soudaine que cet homme, pourtant discret
et taiseux, m'a lancée. Le sujet doit lui tenir sacrément
à cœur pour qu'il me parle si vivement. Même s'il reste
calme et respectueux envers moi.

– Mais de quoi devez-vous la protéger ?

– De ses chagrins.

– Pourquoi je la rendrais triste ?

– Valentine tombe amoureuse comme on tombe dans
les pommes, ça prévient pas, elle n'est plus consciente de
rien, et quand elle se réveille après une bonne paire
de baffes, elle n'est pas bien pendant un moment avant de
se remettre sur pied.

– Ah.

– Et puis surtout, dès qu'elle s'attache et que quelque

chose de sérieux s'installe, elle part en pleurant, après avoir rompu la relation. Je n'ai jamais compris pourquoi. En même temps, elle a toujours rêvé d'avoir des enfants mais aucune envie de les élever seule. Vous voyez le dilemme dans lequel elle se trouve ? Fuir un géniteur tout en rêvant d'en trouver un.

– Mais je vais repartir bientôt.

– Je vous dis juste de ne pas lui faire de mal.

– Vous semblez très attaché à elle...

– Elle est comme ma fille, alors j'ai du mal à supporter de la voir souffrir, vous comprenez ?

– Je comprends. Et vous, vous comprenez que je n'ai pas cette intention. Je ne suis là que de passage. Elle est bien gentille de nous accueillir ainsi, mais je n'ai pas besoin de femme dans ma vie.

– Je connais bien Valentine. C'est tout. Je voulais juste vous mettre en garde.

6 mars 1944
Sur le trottoir

— Madame ? Ça va ?

La voix du garçon était encore fluette tant il était jeune. Suzanne mit quelques instants à répondre. Elle essaya d'abord de le distinguer. Entre l'obscurité et sa vue brouillée par l'abondance de ses larmes.

— Vous me voyez ?

Suzanne lui agrippa la main et, tout en la serrant aussi fort qu'elle le put, se remit à pleurer. Le soulagement de revenir dans un monde normal, presque saine, presque sauve.

Presque.

Elle ne savait pas bien si elle était encore vivante. Un morceau d'elle gisait de l'autre côté des grilles. Peut-être pour toujours.

— Faut pas rester là, vous habitez où ?

— À Solbach.

— Solbach ? Mais qu'est-ce que vous faites ici ?

— Les Allemands, arriva à articuler Suzanne, au bord de l'épuisement.

Le jeune homme ne lui posa plus aucune question. Il

comprit. Lui qui habitait juste à côté, il savait ce qui se déroulait derrière les grilles. C'est en passant le bras de la femme au-dessus de ses épaules pour la soulever qu'il aperçut le ventre. Raison de plus. Il ne pouvait pas la laisser là. Sa mère allait être inquiète, son père lui en foutre une quand il reviendrait le lendemain, mais il ne pouvait pas la laisser là.

— Je veux rentrer chez moi.

— Ce soir, ça ne va pas être possible. C'est trop loin. Vous êtes trop faible. Et puis, c'est peut-être dangereux.

— Je vais faire quoi maintenant ?

— Vous allez manger quelque chose, vous laver un peu, vous changer et dormir.

— Et après ?

— Après, je ne sais pas.

— Tu as quel âge ?

— Quatorze ans.

Samedi 19 juin 2010
Le rire au dentifrice

Anna-Nina dort chez Charlotte, sa nouvelle petite copine de l'école. Ça pétillait tellement dans ses yeux, vendredi soir, en rentrant de classe, quand elle m'a exposé sa demande, que je n'ai pas eu la force de refuser. J'étais très surpris par la rapidité avec laquelle cette petite avait invité ma fille à dormir chez elle, mais Valentine connaît très bien la famille, ils sont parmi ses meilleurs amis et elle m'a assuré que je pouvais la laisser y passer la nuit les yeux fermés. C'est le cas de le dire. Les miens sont pourtant grands ouverts en ce début de nuit.

C'est la première fois que je la laisse chez des inconnus. Il lui arrive de passer quelques nuits sans moi, chez mes parents, quand nous sommes de passage en région parisienne, mais c'est tout. Une main me suffit pour compter sur les doigts le nombre de fois où l'on s'est séparés. Ce soir, c'est plus difficile que les autres fois parce que je réfléchis beaucoup à notre vie depuis qu'un orage nous a déposés ici. J'ai l'impression qu'Anna-Nina m'échappe, et plus encore en acceptant cette invitation. J'ai beau me dire que c'est de son âge, qu'elles vont jouer ensemble à la poupée et faire de beaux dessins, chuchoter dans leur lit après s'être brossé les dents dans la salle de bain, en pouffant de rire la bouche pleine de dentifrice, j'ai du mal à la laisser partir.

Je suis allongé sur le dos, encore un peu humide de la douche que je viens de prendre, un simple drap sur moi, tant cette soirée de juin est douce, quand j'entends le parquet du couloir grincer discrètement, puis le loquet de ma porte se soulever doucement, pas suffisamment cependant pour le rendre silencieux. Mais j'entends quand même Valentine entrer dans ma chambre. Je décide de ne pas réagir. Juste de vérifier dans la pénombre, que la lune de ce soir rend incomplète, qu'elle ne tient pas le plus gros de ses couteaux de cuisine dans la main. Après tout, elle m'a ouvert la porte avec une poêle en fonte.

Rien à l'horizon. Juste son corps et sa longue chemise blanche, dont j'entends le froissement quand elle tombe sur le sol. Je pense comprendre. Je le crains, surtout en pensant à la discussion d'hier avec Gustave. Ne pas lui faire de mal. Dois-je réagir ? Comment aurais-je pu m'attendre à cette incursion ? Je lui ai pourtant dit que je n'avais pas besoin de femme. Elle veut peut-être vérifier par elle-même. Ne pas lui faire de mal, m'a dit le vieil homme. Mais je ressens cette excitation irrépressible, accentuée par l'incongruité de la situation. Le sentiment est troublant. Je crois que j'ai peur.

Envie mais peur.

Peur mais envie.

Cela fait si longtemps.

Le drap se soulève et je sens son corps chaud se glisser

à côté du mien. J'admire son aplomb incroyable, son courage immense d'oser agir ainsi. Je pourrais la repousser violemment et la voir repartir rouge de honte. Qu'en serait-il demain matin, avec le jour ? Elle a décidé de prendre le risque. Je n'ai aucune envie de la repousser. Cependant, je n'ai pas non plus le cœur à m'élancer vers elle. Alors je la laisse faire. J'aviserai. Ou peut-être n'aviserai-je rien. J'en prends aussi le risque.

Je suis dans la peau du cambrioleur de plaisir qui vole l'instant.

Ne pas lui faire de mal. Je lui en ferais si je la repoussais. Vais-je lui en faire en acceptant son corps ? Puisqu'elle me l'offre.

Ou bien vient-elle se servir ? Elle reconnaissait qu'elle était en manque.

Soit.

Elle s'est mise au-dessus de moi, en évitant mon visage. J'aurais eu du mal à accueillir sa bouche sur la mienne. Nous sommes si étrangers. Elle embrasse maintenant mon ventre, ses mains sur mes hanches. Ses deux seins frôlent mes cuisses, et ses tétons fermes réveillent instantanément en moi cette sensation que j'avais enfouie depuis tant d'années. Je sens mon sexe durcir progressivement. Elle le sent aussi, je le sais, car sa main est venue l'effleurer. Je pose la mienne sur son épaule. Elle me prend alors dans sa bouche avec une délicatesse qui me fait frissonner. Puis s'en éloigne. Me saisit à nouveau. Autre frisson. Je la sens hésitante, et pourtant elle le fait. Cette partie de moi retrouve vie et envie. Comme c'est bon. Comme c'est bon de m'abandonner à cette femme que je ne connaissais pas il y a encore une semaine, qui m'est presque étrangère, mais qui est là ce soir pour me donner du plaisir, et pour en prendre, comme si elle avait compris qu'il y avait un volcan à réveiller. La lave bouillonne en profondeur, même quand il est endormi. Elle le savait probablement. Non, je ne veux pas avoir besoin d'une femme. Ce n'est toujours pas le cas. Sauf si le désir en est un.

Elle poursuit toujours aussi délicieusement, sa langue tournant autour de mes chairs fermes et ses lèvres se serrant progressivement pour en décupler le plaisir. Jamais je n'avais vécu un tel moment, mais j'ignore si cela est lié à mon manque cruel ou à son expérience certaine. Elle semble aimer jouer avec mon sexe, et c'est probablement le jeu qui rend l'acte délicieux. Je la devine à la recherche de mes sensations, car, à chacun de mes soupirs, elle recommence ce qu'elle vient d'expérimenter. Je l'arrête une première fois, puis une deuxième, pour éviter de jouir. Je ne veux surtout pas. Pas maintenant, pas comme ça, pas si vite. Elle s'arrête et patiente, avant de reprendre, me rendant de plus en plus fébrile. J'avais peur de ne plus éprouver de désir pour aucune femme, et voilà que je crains d'en avoir trop. D'ailleurs, j'en ai trop. Ce que je ressens est violent. Presque animal. Je n'ai plus de cerveau, je ne suis plus un homme raisonnable. Je suis une boule d'instinct qu'elle a voluptueusement provoquée et qui explose, hors de contrôle. Je lui saisis les bras pour la faire remonter vers moi, je l'empoigne au niveau des hanches, et je la retourne avec fermeté, en lui écartant les jambes avec mes genoux. Elle passe une main dans mes cheveux et pose l'autre sur mes fesses, m'enjoignant de la pénétrer, ce que je fais sans tarder. Je ne peux pas faire autrement.

En entrant en elle, je sens ses doigts se planter dans mes épaules et s'agripper dans un soupir bruyant. J'ai envie de repartir et de revenir, et de repartir encore. Comme elle, tout à l'heure, avec sa bouche. Elle me supplie de rester. Je reste. Mais je vais et je viens plus intensément, plus profondément. Il fait chaud au fond d'elle. Chaud et humide. Ses jambes m'ont enserré comme deux lianes souples qui m'emprisonnent dans son corps.

Quand je m'arrête de bouger, je la sens se contracter par saccades autour de moi, et puis, une main sur mon bassin, pour m'inciter à poursuivre. L'autre s'est insinuée entre son ventre et le mien et je sais qu'elle se caresse en même temps que mes mouvements de va-et-vient, que j'intensifie, tant je la vois réagir. Nous restons ainsi un moment, à jouer avec le rythme des mouvements, à attendre, repartir, revenir, nous répondre, comme deux instruments sur une même partition.

Lorsque j'entends à son souffle qu'elle s'approche de l'orgasme, je m'autorise à relâcher mes freins et je me laisse doucement monter. C'est son cri aigu et cette langoureuse plainte qui me donnent le signal.

Je repose sur elle, mon torse sur sa poitrine essoufflée et moite. De petits gémissements résiduels s'échappent encore de sa bouche par intermittence. Comme des paliers de décompression. J'ai l'impression d'être dans du coton, et je sens mon cœur battre. Je me retire alors d'elle et je m'allonge à ses côtés, en cherchant le drap qui s'est perdu dans la bataille. Nous restons ainsi de longues minutes, sans rien nous dire. Ne surtout pas rompre le silence. C'est une femme et moi je suis un homme, rien d'autre n'a d'importance.

Et j'ai renoué avec l'amour des corps.

J'avais oublié à quel point c'est bon.

Dimanche 20 juin 2010
Le partage équitable des fleurs
du cimetière

Nous ne nous sommes pas protégés...

Le post-it repose sur la table de la cuisine. Il a dû l'écrire en se levant dans la nuit pour aller boire un verre de lait. Celui-ci est dans l'évier.
En effet.
Mais c'était tellement soudain, tellement spontané. Tellement hors du temps. Tellement imprévu aussi. En passant à côté de sa chambre hier, sachant Anna-Nina chez Charlotte, donc son père seul avec lui-même, d'avoir vaguement aperçu sa silhouette sous la douche, la porte de la salle de bain étant restée entrouverte, et après la discussion que nous avions eue à propos du besoin de chaleur humaine, celle dont je manque cruellement, j'ai eu envie de lui. Et je n'ai pas eu envie d'attendre. Lui non plus manifestement.
Alors se protéger...
J'ai confiance. Pour ce qui est des maladies.
Pour le risque de grossesse, c'est mon problème. J'irai voir Sylvie demain.

Peut-être est-ce cela qui l'inquiète. Mais je n'ai pas envie que nous en parlions. J'ai envie que cela reste une parenthèse dans la nuit, qui ne vienne pas déborder sur le jour. Peut-être a-t-il mis le post-it dans la même intention. Je réponds qu'il n'y a pas de risque. Ni de maladie, ni de grossesse, et je vais déposer le papier devant sa porte. Je l'entends respirer dans un léger ronflement. Je souris. J'aimerais le regarder dormir.

J'ai aimé qu'il m'accueille sans un mot, j'ai aimé la façon qu'il a eue de bander dès l'instant où je l'ai touché. J'ai aimé le goût de son sexe, et la détermination de ses mains quand il m'a retournée. J'ai aimé le surprendre et l'exciter. J'ai aimé retrouver mon corps saisi par un autre corps après ces longs mois de jeûne.

Mais la situation est délicate. Comment faire comme si de rien n'était avec la lumière du jour ?

Je suis assise à table, une tartine dans la main et mon bol de thé brûlant devant moi, quand j'entends le parquet de l'étage grincer. Il arrive.

C'est Gustave qui nous sauve. Il entre en même temps qu'Éric descend l'escalier. Alléluia. Je n'ai jamais été aussi heureuse de le voir entrer chez moi pour déposer les œufs du matin.

Nous déjeunons ensemble, en parlant de la météo et du programme du jour. Ayant une tartine d'avance sur eux, j'arrive à m'extirper de la conversation avant que Gustave ne reparte, et je leur lance en attrapant mes clés que je vais chercher Anna-Nina, comme cela est convenu. Elle aurait bien passé le dimanche là-bas, mais j'ai considéré qu'il

serait plus judicieux d'y aller en douceur niveau séparation d'avec son papa.

La petite est rayonnante. J'échange quelques mots avec
les parents de Charlotte, qui m'assurent que tout s'est
passé à merveille et qu'Anna-Nina est adorable de gentillesse et de douceur. Je n'en doutais pas. Les deux gamines
se prennent dans les bras pour se dire au revoir. C'est
touchant de sincérité. Elles se lancent un « *à demain !* »
qui m'assure qu'Anna-Nina est heureuse de retourner à
l'école. Son père s'y fera.

Éric accueille sa fille avec un plaisir palpable. Assis
dans le canapé du salon, il ouvre grands ses bras et elle s'y
jette éperdument.

– Papa, je pourrai y retourner ?

– On verra, ma puce. C'était bien alors ?

– Oui ! Charlotte a plein de jouets, des poupées, des
puzzles, et beaucoup de livres.

– Vous avez fait quoi ?

– On est allées se promener dans le cimetière.

– Ah bon ?

– Ils habitent juste à côté. Elle est enterrée où maman ?

– Dans le village de ses parents, en banlieue parisienne.

– On pourra aller y mettre des fleurs la prochaine fois
qu'on sera là-bas ?

– On verra, Anna-Nina. On le fera dès qu'on pourra.
Je te promets.

– Je retourne à l'école demain, hein papa ?

– Oui. Anna-Nina. Mais je ne sais pas jusqu'à quand.

Je les écoute discrètement en préparant les légumes
pour le repas de midi. Je fais alors remarquer à Éric que

la fin de l'année scolaire est proche et qu'ils peuvent peut-être la finir ici.

Il ne me regarde pas. Il sourit à sa fille en lui caressant les cheveux. Je le vois réfléchir longuement. Anna-Nina est lovée contre lui, son pouce dans la bouche. Recharge de batteries après la séparation. Recharge réciproque. Ils sont poignants tous les deux.

Nous passons le reste du dimanche à nos tâches respectives. Éric poursuit ses réparations dans la roulotte. Gustave explique à la petite comment s'occuper des poules. Comment les nourrir, comment ramasser les œufs, comment nettoyer le poulailler, comment prendre soin des poussins. Il m'a dit hier à quel point il aime transmettre ainsi ses connaissances, surtout quand l'élève est aussi douée.

— Avant de mourir, il faut bien que je confie ce que je sais aux nouvelles générations.

— Tu ne vas jamais mourir, Gustave. Tu as résisté à trop de choses.

— Justement ! Je suis fatigué.

— Tu ne peux pas me laisser seule de toute façon !

— Tu n'es plus seule !

— Il va repartir.

— Tu n'aimerais pas qu'il reste ?

— C'est lui qui parle de partir.

— Tu ne réponds pas à ma question.

— Je ne sais pas. Tu me connais. Ça ne marche jamais. Et puis, ça fait à peine une semaine qu'il est là.

— Il ne faut jamais dire jamais.

Je suis dans mon lit et je ne vais pas trouver le sommeil tout de suite. Trop de pensées qui circulent, s'entrechoquent. En particulier la scène de ce soir…

Quand j'ai vu entrer la voiture du maire dans la cour, alors que nous étions tous en train de dîner à la table de jardin installée au pied du saule tortueux, j'ai eu une soudaine frayeur. Pourquoi vient-il un dimanche ? Pourquoi le maire ? Est-ce pour Éric ? Un souci ? Mais il serait accompagné des gendarmes si vraiment c'était sérieux…

Je suis allée à sa rencontre, portant probablement les stigmates de mon inquiétude sur le visage.

– Détends-toi, Valentine, rien de grave, m'a dit Jean-Marc en m'embrassant.

– Visite de courtoisie ?

– Non, il y a quand même un petit problème. Je reviens de chez les parents de Charlotte pour un petit rappel à la loi. Et je dois faire de même avec la gamine que tu héberges.

– Qu'ont-elles fait ? ? ?

– Eh bien, rien de grave à leurs yeux probablement, c'est même mignon, mais ça ne se fait pas.

– Bon sang, dis-moi ce qu'elles ont fait.

– La vieille Germaine est venue sonner à ma porte samedi soir, tu sais bien qu'elle va sur la tombe de son mari tous les jours. Elle m'a annoncé que toutes les fleurs du cimetière avaient changé de place. Que les anciennes tombes que plus personne ne vient visiter avaient reçu un bouquet, et que celles qui sont régulièrement fleuries

117

étaient devenues bien pauvres en couleurs. Une sorte de répartition équitable.

— Tu es sûr que c'est Charlotte et Anna-Nina ?

— Germaine les a croisées en arrivant. Et puis, Charlotte a admis, tout à l'heure.

— Mais pourquoi ont-elles fait ça ?

— Charlotte m'a expliqué qu'elles étaient allées se promener dans les allées et que la petite lui avait demandé pourquoi toutes les tombes n'étaient pas entretenues. Que c'était triste. Et elles ont décidé d'instaurer une sorte de partage floral équilibré, si tu vois ce que je veux dire.

— Je vois. C'est mignon, en effet.

— Mais ça ne se fait pas.

— Ne la gronde pas trop. Elle est sensible. Dans une situation particulière.

— J'ai une tête à gronder les enfants ?

Anna-Nina a attendu que la voiture du maire ait quitté les lieux pour éclater en sanglots. Cette petite est vraiment sensible. Jean-Marc avait pourtant été très prévenant, et lui avait seulement expliqué pourquoi on ne pouvait pas faire ça.

Éric l'a prise dans ses bras et l'a bercée longuement, en lui disant que ce n'était pas grave. Qu'on avait le droit de faire des erreurs dans la vie, quand on ne savait pas. Et que ça allait pouvoir se réparer. Il lui a même promis qu'ils iraient acheter autant de roses qu'il y avait de tombes et qu'ils en déposeraient une sur chaque pierre, pour réaliser ce qu'elle avait eu à cœur de faire. Mais le simple fait qu'on lui reproche un acte l'a déstabilisée.

Cela m'a confortée dans la certitude qu'elle manque de

repères pour ce qui concerne la vie en société. Éric était gêné. Je l'ai rassuré en lui promettant que l'ambiance au village était telle que ça ne serait pas mal pris, mais lui qui a l'habitude de vivre discrètement n'a pas semblé rassuré par mes propos. Ça me nouait les tripes de me dire que cet épisode allait peut-être le faire partir plus vite que prévu.

Je suis en train de m'attacher bien trop sérieusement à cette petite, même si cela fait peu de temps que je la connais, et je commence à craindre son départ. Je prends un peu de plaisir avec son père, mais je sais que ça ne peut pas aller plus loin entre nous. Nous sommes trop différents. Déjà qu'il est compliqué pour moi d'envisager une vie commune avec un homme qui me ressemble, alors si en plus il est à l'opposé. C'est dommage, les ondes passent plutôt bien sous les draps.

Mais la petite…

Je ne suis pas près de dormir.

7 mars 1944

Quand le garçon était entré dans la cuisine familiale, la veille au soir, en soutenant la jeune femme enceinte, sa mère l'avait regardé avec des yeux ronds, en cessant de mâcher le morceau de pain qu'elle avait dans la bouche.

– C'est qui ?

– Une femme que les Allemands viennent de jeter sur le trottoir. Elle a été torturée.

– Qu'est-ce que tu veux qu'on en fasse ? On a assez de bouches à nourrir.

– Elle a froid, elle a faim, et elle est enceinte.

– Ton père va te mettre une rossée.

– On peut pas la laisser comme ça.

Suzanne tenait à peine sur ses jambes, mais réussit cependant à articuler qu'elle allait rentrer chez elle.

– Maman, on la garde cette nuit et je l'emmènerai chez elle demain.

– Elle habite où ?

– Solbach.

– Et tu vas y aller comment ?

– En train. Et on finira à pied. Je peux la mettre où pour la nuit ?

– Mets-là au grenier.

– Je peux prendre des habits de mémé ? Elle a froid.

– Pas trop alors. Elle nous les rendra au moins ?

La montée des escaliers vers le grenier fut éprouvante. Ils étaient étroits. Suzanne peinait à plier correctement les genoux. Elle était si faible. L'endroit n'était pas isolé et les toiles d'araignées, nombreuses. Le jeune homme l'installa sur un vieux matelas et fit plusieurs allers-retours, pour des couvertures, un peu d'eau et de pain, un morceau de fromage, loin du regard de sa mère. Et puis une bassine avec de l'eau qu'il avait fait chauffer, et quelques affaires de toilette.

Suzanne tremblait en portant les aliments à sa bouche, mais comme il était bon de manger. Le jeune garçon s'était installé à côté d'elle et la regardait avec compassion, prêt à l'aider dans chacun de ses gestes. Sans savoir qui elle était, la vie qu'elle avait, ce qu'elle avait subi là-bas, au bout de la rue. Ni ce qu'elle allait faire maintenant. Il savait seulement qu'il ne pouvait pas la laisser ainsi. Il verrait bien le lendemain. Et tant pis pour la raclée de son père. Il en avait vu d'autres.

– Vous voulez vous laver un peu ? Je vous ai apporté des habits, je ne sais pas si ça ira.

– Tu es gentil. Tout ira, je m'en contenterai. C'est déjà beaucoup ce que tu fais.

Suzanne saisit alors le gant de toilette, pour profiter de la chaleur de l'eau. En le sortant de la bassine, elle grimaça.

– Je n'arrive pas à serrer mes doigts pour essorer le gant. Ils m'ont écrasé les mains.

Le jeune homme lui prit alors le gant des mains, le trempa à nouveau, l'essora, y déposa un peu de savon et commença à lui frotter délicatement le visage et le cou. La femme s'allongea, épuisée, et se laissa faire. Après ces quelques jours passés dans l'horreur de son cachot, ces gestes simples mais bienveillants étaient d'une tendresse exceptionnelle. Elle les recevait comme le désert reçoit la pluie.

Il renouvela le geste pour les bras, le dos, en se penchant au-dessus d'elle, après avoir enlevé sa chemise de nuit en lin. Il fallait bien. Il l'avait couverte d'une serviette et de la couverture, pour qu'elle ait le moins froid possible.

Quand il arriva au niveau des seins, Suzanne somnolait. Elle ne vit donc pas l'émoi du jeune homme. Même si le contexte était dramatique, c'était la première fois qu'il voyait les seins nus d'une femme. Il redoubla de douceur.

Et puis ce fut le ventre, et Suzanne sursauta. Les brûlures. Le garçon essayait d'être doux, mais il fallait bien nettoyer, pour que ça ne s'infecte pas. Il y avait un confiturier dans un coin du grenier. Il alla farfouiller et trouva un pot de miel, épargné jusque-là. Sa grand-mère lui mettait toujours du miel sur les plaies quand il trébuchait. Il en déposa un peu sur chaque brûlure, le plus délicatement possible.

En frôlant la dernière plaie, il sentit sous son doigt un petit mouvement. Il regarda le visage de la femme. Une larme commença alors à couler sur sa joue.

– Il a bougé.

– C'est votre bébé ?

– Oui, il ne bougeait plus depuis trois jours. Il est vivant. Elle prit la main du jeune homme dans la sienne et la serra aussi fort qu'elle le put, malgré ses articulations meurtries. Il fallait donc toute la douceur de ce garçon, que la vie lui avait envoyé au moment où elle en avait le plus besoin, pour donner envie à son bébé de sortir de sa torpeur.

Tu vois Léon, ils ne nous ont pas détruits. On va se battre, on se retrouvera. Et on construira notre vie à trois.

Ensuite, Suzanne ne lui lâcha pas la main, et il dormit à côté d'elle, dans un demi-sommeil, pour la protéger et la laisser dormir tout son saoul.

Elle se réveilla avec les premières lueurs du jour. Le garçon était toujours là, à côté d'elle, et il la regardait. Elle lui sourit. Le bébé avait encore remué. Il revenait peu à peu.

– Je dois descendre. Mon père va vouloir me voir. Après, j'irai regarder les horaires de train pour monter à Fouday, et j'essayerai de trouver de l'argent. Je crois qu'ils ont une réserve dans une soupière de mémé, dans le buffet du salon.

– Je te rembourserai, j'ai de l'argent là-haut. Il est bien caché.

– Je reviens vous chercher. Reposez-vous encore. Le chemin va être long.

– Merci pour tout. Merci, tu m'as sauvé la vie, tu sais ? Et celle de mon bébé.

– Reposez-vous...

Lundi 9 juin 2010
Les femmes modernes

– J'ai couché avec lui.

– Déjà ?

Gaël, en posant cette question qui n'en est pas une, a cette étincelle de curiosité dans le regard qui me laisse penser qu'il va me demander des détails croustillants. Regard qu'il soutient sans faillir, dans un silence de moine en prière, comme s'il attendait que je lise dans ses prunelles. Avant d'ajouter :

– Je veux tout savoir : ce que tu lui as fait, ce qu'il t'a fait, ce que vous avez fait, dans les moindres détails.

Ben tiens ! Il a dû être mon frère dans une autre vie, je le connais trop bien.

– Rêve.

– Juste un peu. Au moins savoir s'il est poilu.

– Ça change quoi ?

– Ça fait rêver les femmes, les hommes poilus. Je veux savoir s'il te fait rêver.

– Il ne me fait pas rêver et c'est pas une histoire de poils.

– Je te fais pas rêver, moi, avec mes poils et mon adiposité ?

– Si.

– Ah, tu vois ?

– Certainement pas à cause des poils.

– De l'adiposité alors ?

– Non, ça, ça te rend seulement moelleux quand tu me prends dans les bras.

– Tu rêves vraiment de moi ?

– Non.

– Ah bon… Tant pis ! Et donc ? Tu l'aimes ?

– J'en sais rien, moi ! Tu m'en poses des questions !

– Tu as couché avec lui et tu ne l'aimes pas ? Les femmes modernes sont vraiment modernes.

– C'est répréhensible ?

– Non. Mais pourquoi tu as couché avec lui ?

– Pour nous faire du bien réciproquement.

– Et vous vous êtes fait du bien ?

– Je crois.

– Ne vous faites pas de mal…

– Et toi ?

– Moi ? J'ai pas couché avec elle.

– Et ça te fait du mal !

– La vie est quand même mal fichue. Tu couches avec un homme que tu n'aimes pas, et moi, je ne peux pas coucher avec une femme que j'aime.

– Ça se saurait si elle était simple, la vie… Je suis libre, mais pas toi. Mais je suis seule, et pas toi. On ne peut pas tout avoir. Je ne sais pas ce qui est le mieux, mais la solitude est probablement plus douloureuse au quotidien que la frustration. Peut-être moins violente mais plus insidieuse.

– Peut-être. C'est insidieux aussi, la frustration, tu sais.

– Mais tu n'es pas seul, en attendant. Profite de ça. Tu peux fermer l'école ce soir ?

– Encore ? Depuis que ce type est là, je ferme l'école tous les soirs.

– Et dire que tu m'aimes quand même.

– Et pourquoi tu dois rentrer cette fois-ci ?

– Pour pas être enceinte.

– Explication de texte ?

– J'ai couché avec lui, mais à découvert.

– Bon sang, Valentine ! Et s'il te contamine ?

– De quoi ? Il n'a pas le profil. Il n'a rien fait depuis sa femme, et vu qu'elle était enceinte, elle a eu toutes les sérologies, ne t'inquiète pas.

– Qu'il te dit.

– Oui, et il n'est pas roumain, sourd et muet au pied de Notre-Dame, souviens-toi. J'ai envie de lui faire confiance.

– Fais-lui tout ce que tu veux, mais ne te fais pas de mal.

– Tu peux parler !

– Et tu vas faire quoi pour ne pas être enceinte ?

– Je vais voir Sylvie.

– Sylvie la sage-femme ? Je croyais que tu ne voulais pas être enceinte.

– C'est une sage-femme contraceptive. Elle va me trouver une solution. Je ne vais pas rentrer dans les détails non plus, ce sont des trucs de fille ! Elle m'a calée entre deux rendez-vous, il ne faut pas que j'arrive en retard. Je remonte la petite et je file.

– Tu veux que je la remonte ? Comme ça, je rencontrerai son père.

– Tu ferais ça ?

– Je ferais n'importe quoi pour voir l'homme poilu qui te fait rêver.

– Il risque d'être torse nu, en plus, vu qu'il travaille dans la roulotte. Il est aussi imberbe que le crâne de Yul Brynner.

– Arrête, c'est moi qui vais rêver.

– T'es bête !

– Et dire que tu m'aimes quand même !

Bien sûr que je l'aime. Je l'aime comme le frère que je n'ai pas eu, puisque ma mère s'est séparée de mon père peu de temps après ma naissance. Elle ne supportait pas cette vie-là. Elle pensait y arriver, à remplacer le quotidien pour réaliser ses rêves de princesse. Mais non. Elle a cinquante ans et elle est toujours seule. Elle croise des hommes mais s'en sépare avant de trop s'attacher. Elle a besoin de respirer, me dit-elle. Cela sous-entend respirer autre chose que le parfum d'un homme sous la couette au matin. Mon père, lui, a refait sa vie. Sa femme est charmante, mais je n'ai pas de frère.

J'ai Gaël.

Et je suis la plus pénible des petites sœurs. Mais si pénibles soient-elles, les petites sœurs restent précieuses. Au fil du temps, nous avons acquis l'un pour l'autre une telle confiance, une affection si sincère, que plus rien ne peut nous arriver. Nous savons que nous resterons liés jusqu'à la mort. Et encore… C'est du cordage tellement solide entre lui et moi qu'il est capable de résister à l'épreuve de l'au-delà.

J'arrive chez Sylvie avec quelques minutes d'avance. Ça

ne me dérange jamais. Sa salle d'attente est accueillante et rares sont les retards. Elle décide du temps nécessaire au moment de fixer les rendez-vous, là où d'autres soignants font défiler des patients toutes les dix minutes et finissent la journée avec trois heures de retard.

– Dis-moi tout, me demande-t-elle en sortant mon dossier.

– Tu m'avais dit un jour que de poser un stérilet au cuivre pouvait empêcher une grossesse.

– C'est toujours le cas. Si c'est dans les cinq jours après le rapport à risque.

– C'était samedi soir...

– Alors tu es dans les clous. Tu ne peux pas être tombée enceinte antérieurement à ce rapport?

– Aucun risque.

– Alors on peut le poser. J'en prends un de secours, il faudra me déposer le nouveau dans la boîte aux lettres quand tu seras allée le chercher avec l'ordonnance que je vais te faire. Je te laisse t'installer, je prépare ce qu'il me faut.

– C'est pas grave que je n'aie pas eu d'enfant?

– Pour ta vie, ou pour la pose du dispositif?

– Pour la pose!

– Non.

– Pour ma vie, ça, c'est une autre histoire.

– Tu as envie de me parler de lui?

– C'est un homme de passage. Il a débarqué avec sa fille malade dans les bras la nuit où l'orage a été si violent, il y a une semaine.

– Pourquoi chez toi?

– Parce que sa roulotte était stationnée un peu plus haut et qu'il s'est pris un arbre sur le toit.

– Une roulotte ?

– Une longue histoire. Tu me prends entre deux rendez-vous, je ne vais pas pouvoir développer. Le fait est qu'il est seul, que je suis seule, qu'on avait envie, et voilà.

– Tu as besoin d'un test de dépistage ?

– Je lui fais confiance.

– D'accord. Tu n'hésites pas à me le demander si tu en ressens le besoin. Dis-moi quand tu es prête à ce que je t'embête un peu.

– Je suis prête.

Sylvie est très douce dans ses gestes. Je ne sens rien de douloureux. Nous parlons encore un peu de cet homme, de cette rencontre, avant qu'elle ne m'annonce qu'elle a fini. Le stérilet est posé. Je n'ai rien senti.

– Je suis protégée à partir de quand ?

– Dès maintenant.

– Tout de suite ?

– Tu peux refaire l'amour avec lui ce soir si tu en as envie.

– Je crois que j'en aurai envie tous les soirs. Ça m'a manqué.

– Eh bien, profite.

– Ce n'est pas si simple. Il va repartir.

– Et alors ?

– Je ne veux pas trop m'attacher. Et puis il y a sa fille.

– Tu risques aussi de t'attacher à sa fille, te connaissant, non ?

– Je crois que c'est déjà trop tard. Si en plus je prends

du bon temps avec lui, leur départ va être doublement douloureux.

– Ou pas. Ne pense pas à ça. Reste dans l'ici et maintenant. Tu as envie ? Il a envie ? Vous pouvez ? Faites ! Ici et maintenant. Et reviens m'en parler quand tu veux, d'accord ?

– Pas entre deux rendez-vous...

– Non. Mais ça peut être entre deux thés.

Un peu plus tard
dans la matinée du 7 mars 1944

– Je n'arriverai jamais à monter à pied jusqu'à Solbach.
– Il faudra bien. Vous voyez une autre solution ? Vous avez un cheval à la ferme ?
– Normalement oui. Mais il ne va pas descendre tout seul.
– J'irai le chercher. Vous attendrez à la gare, au chaud.
– Il y a plus de six kilomètres pour monter, et tu ne connais pas le village.
– Vous pouvez m'expliquer. Et je suis jeune, je marche vite.

Suzanne expliqua alors la petite ferme sur les hauteurs du village, le vieux voisin qui avait dû prendre soin des animaux, quelques mots qu'il devrait dire pour lui prouver qu'il avait bien pris soin d'elle après les Allemands, et montrer patte blanche afin qu'il le laisse prendre la jument et la redescendre.

– Tu sais monter à cheval ?
– Oui.

Le jeune homme ne savait pas. Évidemment. Mais il y arriverait bien. Il n'allait pas baisser les bras maintenant.

Quand le train s'arrêta à Fouday, il s'assura que Suzanne était installée dans un lieu à peu près confortable pour pouvoir l'attendre les quelques heures qu'il pensait mettre pour l'ascension, la présentation au voisin et la descente à cheval, sans trop savoir laquelle des trois étapes serait la plus difficile.

La jeune femme lui reprit la main pour le remercier encore, avant de s'asseoir sur un petit banc, à l'intérieur, près du poêle à bois. Elle se réjouissait de remonter chez elle, de retrouver des lieux connus, de pouvoir se changer avec ses vêtements à elle. De revoir ses animaux, son lit, la photo de Léon sur la cheminée. Elle ne savait pas ce qu'elle ferait ensuite. Mais profiter de ces moments-là serait déjà délicieux.

Quand le garçon entra dans la gare, trois heures plus tard, il avait les joues rouges et le souffle court. C'était la descente à cheval, rapide et incertaine, qui lui avait le plus coûté. Mais il avait réussi.

Il aida Suzanne à monter sur l'animal et marcha devant elle en tenant le licol, mais elle lui proposa vite de monter derrière elle. Ça irait plus vite, et la jument était suffisamment solide pour porter leurs deux corps légers.

Le voisin les attendait évidemment. Quand ils entrèrent dans la cour de la grande ferme, il courut à leur rencontre et attrapa Suzanne qui se laissa tomber dans ses bras, de fatigue et de chagrin.

– Robert, Léon s'est rendu pour qu'ils me relâchent. Je ne le reverrai peut-être jamais.

– Que voulais-tu qu'il fasse d'autre ? Il n'allait pas les laisser te faire du mal plus longtemps.

– Comment a-t-il su ?

– Tout se sait quand le réseau est bien organisé.

– Il n'aurait jamais dû. J'aurais préféré mourir à sa place. Je suis moins utile à la lutte.

– Arrête tes bêtises. Et le bébé, tu en fais quoi ?

– Un bébé sans père ?

– Qui te dit qu'il ne reviendra pas ? La guerre s'arrêtera bien un jour.

– Oui, mais ils vont l'emmener, ils vont l'envoyer sur le front russe. C'est ce qu'ils m'ont dit.

– Il reviendra.

– Et s'il ne revient pas ?

– Il reviendra. Par contre, tu ne peux pas rester ici. C'est trop dangereux.

– Et les animaux ?

– Les Allemands sont venus les réquisitionner. Je dois m'en occuper. Je n'ai pas le choix. Sinon, c'est le camp de Schirmeck. Et c'est quelqu'un d'autre qui s'en occupera volontiers.

– Nos animaux...

– Mais il vaut mieux que ce soit moi. Quand la guerre sera finie, ils seront toujours là, et vous pourrez vous réinstaller ici.

– Et je vais où ?

– Ils te connaissent, et si Léon fait un pet de travers, ou s'il déserte, ils viendront te chercher. Il faut trouver un endroit où te cacher.

– Où veux-tu que je me cache ? Pour faire prendre un

risque à quelqu'un ? Personne ne voudra de moi. En plus avec un bébé ! Je serai facile à dénoncer.

– Il faut passer dans les Vosges, alors. Là-bas, le réseau te trouvera une solution. En plus, il faut que tu sois en sécurité pour accoucher.

– Et comment je vais faire pour aller là-bas ?

– On va trouver une solution, dit le garçon.

– Toi ? Tu sais à peine lacer tes boquions.

– Robert ! Il a déjà fait beaucoup pour moi, il est plus grand que tu ne crois.

– Mais quand même ! Qu'est-ce qu'il connaît des Vosges ?

– Tout. Mon père est passeur à La Claquette.

– Comment il s'appelle ?

– Raymond.

– Raymond, le passeur qui fait ça pour l'argent ? Et qui abandonne les gens qui n'ont pas assez pour payer le supplément qu'il demande impunément à mi-chemin ?

– J'ai pas dit que j'étais d'accord avec ce qu'il faisait. Il me fait honte, mon père. Et ça m'est arrivé d'emmener les gens au bout du sentier pour pas qu'ils meurent à cause de lui. Je connais tous les sentiers, et les dangers, et les endroits où se cacher.

– Et tu vas lui demander combien à Suzanne ?

– Rien. De toute façon, personne ne voudra la faire passer, avec son ventre.

– Et toi oui ?

– Oui.

– Et pourquoi ?

– Parce que je vais pas la laisser tomber maintenant.

– Tu en penses quoi, toi, Suzanne ?

– Tu as une autre idée ?

– Il a raison, le gosse. Ça va être compliqué de trouver une autre solution. Tu vas réussir à marcher si loin ?

– Après ce qu'ils m'ont fait, c'est rien.

– Tu sais par où passer, gamin ?

– Vous avez une carte du massif ?

– Je dois avoir ça.

– Il faut que je regarde précisément les chemins, mais je pense qu'en partant de Champenay, on récupère la borne frontière directement, sans passer par la Chatte Pendue. Mais il me faut une carte.

– Suzanne, va te reposer et préparer quelques affaires, prends-en le moins possible. Il faudra qu'il puisse tout porter. Et habille-toi pratique demain. Mets un pantalon du Léon. On prépare le voyage pendant ce temps. On partira dans la journée. Je vous emmènerai jusqu'à Champenay à cheval. On utilisera ton ventre comme laissez-passer. T'as bien besoin d'aller voir une sage-femme de temps en temps. Et après, ma foi…

Mardi 22 juin 2010
Les récepteurs à ocytocine

– Je ferme l'école ce soir ?

Gaël a le cynisme tendre. Il ironise sans reproche. Ses plaintes sont des caresses. Et si j'avais encore eu besoin qu'il ferme la classe ce soir, il m'aurait crié avec douceur que j'exagère un peu. Mais l'aurait fait. Tout guimauve qu'il est.

Il reste gentil et serviable avec moi, même si je le sens depuis quelque temps plus enclin à la mélancolie. Il ne m'avait pas habituée à cela. Et j'ai l'impression de passer à côté de lui, à cause de mon quotidien un peu perturbé depuis une bonne semaine. Gaël me manque vite. Il suffit de peu pour qu'il me manque. Alors, quand je sens que quelque chose ne va pas, me vient la crainte de lui manquer, moi, de ne pas être là quand il en a besoin…

– Non, je suis disponible ce soir, je veux bien qu'on ferme ensemble. Et qu'on prenne le temps de le faire. Je suis sûre que tu as des choses à me dire.

– Je suis un livre ouvert, hein ?

– Et quelques pages sont écornées, je crois.

– J'écorne celles que je vais devoir arracher, il sera plus

facile de les retrouver le moment venu. Ça ira plus vite. Ça fait beaucoup plus mal mais moins longtemps.

– Je sens qu'elle va être longue à fermer, l'école, ce soir.

– Tu as ton sac de couchage ?

– Personne ne m'attend à la maison.

– T'es sûre ?

– On m'espère peut-être, mais on ne m'attend pas.

– Par contre, moi si. Geneviève finirait par s'inquiéter. Déjà que…

– Déjà qu'elle s'inquiète de tes pages écornées ?

– Même si je les cache.

– Ce sont celles qu'on voit en premier, tu sais bien.

La journée était agréable. Les enfants assez calmes. Le mois de juin les voit à la fois fatigués par la fin d'année et la tête déjà dans les vacances d'été. J'ai pourtant encore beaucoup de leçons à faire avec eux, si je veux respecter le programme. Et j'ai du travail en perspective pour mon mercredi, avec les corrections, la préparation pour la fin de semaine et les bulletins qui s'ajoutent à tout cela. Je ne suis pas couchée.

Anna-Nina est rayonnante. Elle est vive, intéressée, curieuse, solidaire et généreuse. Les autres enfants l'ont adoptée plus vite que je ne l'espérais. Ils ne se posent aucune question, n'ont aucun a priori, ne s'inquiètent de savoir ni d'où elle vient, ni pourquoi ni comment, ni quand elle repartira. Ils sont dans l'ici et maintenant de Sylvie, et ils ont bien raison.

La journée, je la regarde évoluer dans la classe avec une aisance inattendue et je me demande comment elle pourra retourner dans l'étroitesse de sa roulotte, même si leur liberté est vaste. J'ai l'impression d'avoir mis son père face à un état de fait qu'il n'avait pas envisagé. Mais quand je vois la petite s'épanouir ainsi, je me dis qu'il ne pouvait pas en être autrement. On ne sauve pas le monde, mais on peut parfois sauver quelques personnes de leur destin quand on sent qu'il est mal engagé.

– Qui te dit qu'il était mal engagé, son destin, à cette gamine ?

– Tu n'es pas obligé de toujours me contredire, Gaël, tu sais ?

– Il n'empêche. Qui te dit qu'elle n'aurait pas poussé droit quand même et qu'elle ne se serait pas épanouie malgré tout ? D'ailleurs, qui te dit qu'ils ne vont pas repartir dans une semaine et que tu ne les reverras jamais ?

– Rien.

– Et tu vas souffrir !

– Comment veux-tu que je n'en souffre pas. Tu tends la main à quelqu'un et il la lâche volontairement.

– Quand tu tends la main à quelqu'un, t'es pas obligée de rester accrochée. Et si tu lui tends la main le temps qu'il sorte de l'eau, il peut la lâcher quand il est sur la rive, non ?

– Ça dépend où est la rive pour eux.

– C'est peut-être juste la roulotte réparée. Ce n'est pas forcément toi, leur rive. Ni l'école.

– Et toi ? Tu es où ? Sur la rive ? Dans l'eau ?

– Dans les sables mouvants. Je suis large mais je m'enfonce quand même...

– Tu veux mon autre main ? État neuf, peu servi !

– Je veux surtout arrêter de souffrir.

— Mais pourquoi tu souffres ?

— Parce qu'elle s'éloigne, sans m'expliquer. Je ne sais pas ce que j'ai fait pour ça. Je me sens rejeté.

— Votre relation n'est peut-être pas simple pour elle ?

— Elle n'est pas simple pour moi non plus. J'y arrive pourtant.

— Et si elle n'y arrive pas, elle ?

— Elle y arrivait avant.

— Et si elle ne veut plus ?

— Qu'elle me le dise alors !

— Peut-être a-t-elle peur de te faire de la peine…

— Mais le silence fait encore plus mal.

— Tu sais, certains adultes ont gardé cette part d'enfance qui leur faisait croire, petits, qu'en se cachant derrière un pot de yaourt, on ne les voyait pas, sous prétexte qu'ils ne voyaient pas les autres.

— C'est débile pour un adulte, surtout quand tu vois que l'autre souffre.

— Tu ne le vois pas, tu es caché derrière le pot de yaourt ! Protège-toi. Prends de la distance.

— Ça fait mal rien que d'imaginer qu'elle puisse ne plus être dans ma vie au quotidien.

— Ça tiraille, mais ça ne déchire pas… Dans ta vie, il y a ta femme. Reviens vers elle.

— J'essaie, je l'aime, je ne veux pas la faire souffrir, mais j'ai l'impression d'un vide à l'intérieur de moi, qui aspire tout vers le noir.

— Le noir tout noir est rare. On finit bien par distinguer à nouveau quelques lueurs, quand les yeux s'habituent.

— Tu dois avoir envie de me mettre un coup de pied au

derrière, non ? Tous ces kilos de virilité qui pleurent bêtement pour une fille.

– Je t'avoue que oui. Mais je te comprends, sinon, je
ne serais pas ta meilleure amie. Et puis, en l'absence de
sensibilité, la virilité seule n'a rien d'une qualité chez un
homme.

A suivi une longue étreinte. Il paraît qu'il faut plus de
vingt secondes pour que les récepteurs à ocytocine, cette
hormone qui fait du bien, commencent à fonctionner.
Nous avons compté large pour ne prendre aucun risque
de les louper. Avec Gaël, on peut se prendre dans les bras
plusieurs minutes sans que cela ne soit ni suspect, ni las-
sant. J'ai senti quelques soubresauts de sanglots. Il faut
bien que ça sorte. Je lui avais dit que mon épaule serait
là. Je ne pensais pas qu'il en aurait besoin aussi vite. Mais
quand on aime trop vite, trop haut, on a plus d'élan pour
sauter dans le vide et s'écraser plus fort en bas. C'est
comme ça.

Anna-Nina est allée goûter chez Charlotte. Je passe la
prendre après la fermeture de l'école et une ultime tentative de réconfort de mon gros bonbon mou de collègue.
En vain.

Quand nous arrivons à la maison, nous apercevons son
père encombré de draps, de couvertures et de coussins
qu'il peine à garder en une boule unie entre ses bras. Il se
dirige vers la roulotte, qui a trouvé une place au fond de la
cour, sous le platane. Pour l'ombre.

– On s'en va ? me demande Anna-Nina, soudain
inquiète.

– Je ne pense pas, il m'en aurait parlé.

— Alors pourquoi il emmène tout ça dans la roulotte ?

— Peut-être pour ne pas encombrer la maison. Il doit avoir fini les travaux. Nous allons lui demander, c'est plus simple, tu ne crois pas ?

La petite attend à peine que j'aie garé ma voiture pour en descendre et courir vers son père. Il revient alors de leur habitation, les mains vides, et la prend dans ses bras. Ils se serrent rapidement car la petite se dégage de lui pour lui poser la question qui la taraude. Je les vois discuter quelques instants avant qu'Anna-Nina ne parte en courant vers le jardin.

— Vous partez ?

— Non. Je réaménage juste notre roulotte.

— Pourquoi est-elle partie en pleurant ?

— Je lui ai dit que nous allions à nouveau y dormir, puisqu'elle est réparée. Nous nous sentirons plus libres et vous aussi.

— Vous ne me dérangez vraiment pas à la maison.

— Quand même.

— Peut-être pouvez-vous lui laisser un petit temps de transition.

— Mais moi, j'aimerais réintégrer mon lit.

— L'un n'empêche pas l'autre. Laissez-lui la chambre à la maison et dormez dans la roulotte.

— Et qui veillera sur elle ?

— Vous me décevez, Éric ! Je dors dans la pièce d'en face. C'est peut-être sur vous que vous vous demandez qui va veiller ?

— Pas du tout. Je suis un grand garçon !

— On fait comme ça ?

– Depuis que je suis ici, j'ai l'impression que je n'ai pas beaucoup de choix. Vous me mettez devant le fait accompli, comme si je ne décidais plus de rien.

– Bien sûr que si vous décidez !

– Oui, mais vos propositions sont tellement plus intéressantes pour Anna-Nina qu'elle les préfère forcément ! Ça en devient pénible.

– C'est peut-être le mieux pour elle ?

– Vous insinuez que je ne sais pas m'occuper de ma fille ?

– Mais non, je n'insinue rien. Je propose, j'essaie de voir ce qui lui fera du bien. Vous ne pouvez pas nier qu'elle est heureuse.

– Non, je ne peux pas. Donc je n'ai pas le choix. Si je l'oblige à venir dormir dans la roulotte, je passe pour le mauvais père qui fait les mauvais choix pour elle.

– Tout cela est très nouveau pour elle, cela va se stabiliser, vous ne croyez pas ?

– Je n'en sais rien. Je vais lui dire qu'elle peut garder la chambre à l'étage et que je dormirai seul dans la roulotte.

Il flottait une ambiance mitigée pendant le repas du soir. Anna-Nina n'osait pas trop montrer sa joie de rester dans la chambre à l'étage, et son père ruminait la situation en même temps que sa viande de bœuf.

Je ne sais pas pourquoi il veut réintégrer sa roulotte. Il est pourtant bien à la maison, et j'ai de la place. Peut-être pour me signifier que son séjour ici n'est que temporaire ?

Je décide de prendre le même risque que samedi soir,

pour lui montrer qu'il y a finalement un intérêt à ce qu'il dorme seul dans son habitacle. S'il ne m'a pas renvoyée la première fois, il n'y a pas de raison pour qu'il le fasse ce soir. D'autant que maintenant, je suis protégée. Et j'ai envie de détendre l'atmosphère.

Je m'assure qu'Anna-Nina dort profondément en allant la border sous la couette. Elle a lâché son pouce de la bouche, donc toute résistance au sommeil. J'installe Croquette sur le tapis devant la chambre, comme garde du corps, et je ferme la porte d'entrée de la maison à clé. Il y a de la lumière chez Gustave. J'espère juste qu'il n'est pas en train de regarder par la fenêtre. Je n'ai pas envie qu'il sache ce que je fais de mes nuits.

Je frappe au carreau de la petite porte à l'avant de la roulotte, qui n'est pas vraiment dans le noir. Deux petites bougies seulement éclairent l'habitacle. Éric vient m'ouvrir. Il ne montre aucun signe d'émotion. Il me fait simplement entrer et me laisse passer, le regard presque fuyant. C'est comme si nous devions être muets quand il est question de partager un plaisir volé. Puisqu'il sait que c'est de cela qu'il s'agit. Sinon, il m'aurait parlé. Il m'a juste demandé «Anna-Nina?». «Elle dort, Croquette monte la garde devant la porte de sa chambre.» J'avance de quelques pas dans la roulotte, franchis l'espace cuisine, mais sans aller trop loin. Par pudeur. Quand je me retourne vers lui, que je sens juste derrière moi, je n'ai pas le temps de voir ses yeux. Il a déjà collé ses lèvres sur les miennes en me saisissant le visage de ses deux mains. Nos bouches ne s'étaient pas rencontrées samedi. C'est par là qu'il souhaite commencer aujourd'hui. Sa langue se faufile et rencontre la mienne, avec laquelle il joue dans tous les sens. Il s'est collé à moi et je sens à travers son pantalon léger qu'il a déjà envie. Mon entrejambe se met à l'unisson et je sens gonfler mon bouton-d'or qui s'éveille sous ses doigts venus se poser là. Sa grande main remonte et se faufile sous ma chemise, saisit mon sein, mon petit sein, qui la remplit à peine. La deuxième vient faire de même avec l'autre téton déjà dur. Ses paumes sont rugueuses. L'homme travaille. La roulotte, les chevaux, par tous les temps. Il y a l'essentiel de son histoire dans ses mains. Les lignes de vie sont des lignes de front et la douceur des paumes est devenue chez lui un champ de bataille. Elles sont rêches mais vivantes, et je sens leur présence dans ses moindres caresses, laissant sur leur passage un frisson désordonné. Il m'embrasse toujours furieusement. Il me disait être bien sans femme. Il semble bien avec aussi. Cependant, je ne suis pas là pour lui prouver quoi que ce soit. C'est même très égoïstement que je viens profiter de son corps, pour mon plaisir à moi. Mais de le voir ainsi fougueux et pressé m'excite encore davantage. Il m'entraîne vers l'arrière de la roulotte jusqu'au pied du lit. Je sens ses mains passer sous ma jupe légère et remonter le long de mes cuisses, doucement. Confusion des sens. À la fougue, il préfère maintenant la lenteur. Le changement de rythme est inattendu et presque cruel. Je le voulais déjà en moi et je sais qu'il va me falloir patienter. Je me laisse faire. Je ferme les yeux. Il accroche ses deux index à ma petite culotte et la fait descendre aussi lentement qu'il est venu la chercher. Il s'incline en même temps qu'il la retire et la laisse tomber par terre. C'est sa bouche qui remonte le long de ma jambe. Sa langue qui humidifie ma cuisse. Ses mains qui pétrissent mes fesses, et les font exister comme jamais elles n'ont existé. Je suis debout, mes jambes prisonnières de ses bras. J'aimerais les écarter pour qu'il aille me lécher autre chose que la cuisse et je ne peux pas. C'est lui qui décide, lui qui mène la danse. Il effleure quand même le sommet de mon clitoris au passage, et le suce quelques instants. Je chancelle, je n'ai plus confiance dans mes jambes. Il a dû le sentir car il me fait basculer sur le lit, au milieu des coussins. La couche est moelleuse. Il s'est installé au sol et soulève mes pieds pour m'écarter les genoux. Enfin libre.

Et puis, il me regarde. Il regarde mon sexe ouvert à la lueur de la bougie posée sur la table un peu plus loin. Il me regarde en approchant sa main et en la posant délicatement. Je dois briller tellement j'ai envie de lui. Il approche son visage et souffle sur moi, en écartant mes petites lèvres entre le pouce et l'index. La sensation de fraîcheur est délicieuse et délicate. Il y trempe son doigt. Comme on le ferait dans un pot de miel pour le goûter. Il me goûte. Et recommence. Je m'agrippe aux coussins qui m'entourent. J'ai envie qu'il aille plus loin et il reste au bord des lèvres. La lenteur cruelle qui exacerbe mon désir. Son pouce caresse mon point sensible pendant que son majeur s'aventure dans l'obscurité moite. Je soupire d'enfin et de plus. Mon corps l'aspire pour le supplier d'aller plus profond mais il repart. Je me tortille, mais il ne revient pas pour autant. Il laisse passer un long moment comme ça, avec seulement son pouce sur mon clitoris, qu'il caresse délicatement. J'écarte un peu plus les cuisses pour lui signifier de venir. C'est sa langue que je sens alors, fine et ferme. Il la promène partout, avec une exquise légèreté. Le supplice de la plume. Un voluptueux supplice qui semble soulever ma peau vers lui tant j'ai envie de faire sauter la retenue et qu'il me prenne à pleine bouche. Mais c'est autrement qu'il décide de me prendre, après s'être rapidement installé à ma hauteur. Sa ferme virilité est posée là, à l'entrée de moi. Et il me regarde. Comme s'il attendait le signal. Je me damnerais pour qu'il vienne. Il joue avec l'attente, et je suffoque de l'espérer en moi. Ce sera rapide, je le sais. Je suis au bord de l'orgasme, tellement impatiente qu'il m'y emmène. Il saisit alors ma main droite et la maintient au-dessus de ma tête. Cette main que j'utilise pour monter au plus haut. C'est lui qui s'en chargera. Il a décidé de tout mener. Il entre enfin, en me caressant. Il entre puissamment, de toute sa longueur, et un peu plus encore. Il impulse un rythme rapide et ne me laisse aucun instant de répit. Sa respiration rapide me stimule et me guide. Nous gémissons ensemble. Quelques secondes hors du temps, en soi mais avec l'autre, comme deux bulles de savon qui éclatent simultanément et mélangent leurs gouttelettes de plaisir avant de s'évanouir sans laisser de trace.

Juste celle d'un soupir conjoint.

Et puis repartir sans un mot, sans un bruit. Juste les doigts qui s'effleurent pour se dire à plus tard.

Moments volés

Elle est partie comme elle est arrivée. Sans un mot. Juste son corps, et le désir qui l'enveloppait.

Il m'est difficile de faire la part des choses avec ce double masque que nous portons l'un et l'autre, entre la vie au grand jour et le partage des nuits, mais comment résister à ces moments volés ? Si je la repousse, je pars. Il deviendrait extrêmement incongru que je refuse ses avances et que je fasse comme si de rien n'était. Mais si je pars, j'emmène Anna-Nina et elle sera malheureuse. Je n'avais pas prévu que ma fille vive tout cela en si peu de temps, qu'elle y prenne goût.

Finalement, j'ai aussi aimé dire oui à Valentine.

La bougie brûle encore sur la table de la cuisine. Je saisis mon cahier en cours, mon stylo plume, et je m'assois sur la petite chaise en bois, tout juste vêtu de mon caleçon. Il fait chaud dans la roulotte, malgré les fenêtres entrouvertes et la fraîcheur du soir en montagne. Je crois que c'est au fond de moi qu'il fait chaud.

Mon Hélène,

Comme je me sens mal de me sentir bien dans ces moments-là. Je n'ai pas pu dire non. Mon corps parlait plus fort que ma tête. Je n'ai pas envie de n'être qu'un corps esclave du désir. J'ai eu l'impression de t'oublier, de te trahir. Tu me reviens dès qu'elle est partie, et je souffre que ce soit toi qui sois partie. C'est avec toi que je devrais ressentir tous ces plaisirs qui me transpercent le bas-ventre et courent le long de ma colonne vertébrale.

Mais c'est avec elle.

Cette femme que je ne connais pas, et qui est en train de refermer son piège sur moi, sans que je sache si je pourrai en sortir, ou si je risque de souffrir comme un prisonnier qu'on prive de liberté. Je suis heureux d'avoir réintégré la roulotte, mais triste de laisser Anna-Nina là-bas. Même si c'est elle qui le souhaite. J'ai l'impression qu'elle m'échappe. Qu'elle fait le chemin inverse et est en train de se libérer d'une emprise que j'aurais sur elle.

Tu me manques, Hélène. Tu me manques tant. Ton corps aussi. Tout de toi me manque.

8 mars 1944
Et les laisser...

La veille, le jeune homme et le vieux avaient considéré qu'il serait plus judicieux de partir tôt le matin. Il allait falloir éloigner Suzanne au plus vite du risque d'être à nouveau arrêtée par les Allemands et tenir compte de son état, qui ralentirait grandement la progression. S'ils venaient à croiser quelque personne curieuse de ce convoi insolite, il avait été convenu de dire que Robert était le père de Suzanne et qu'il l'emmenait chez une tante à Champenay, pour sa fin de grossesse, que son petit frère l'accompagnait pour veiller sur elle et aider ladite tante dans les tâches quotidiennes. Cela expliquerait les quelques affaires bourrées dans un sac. Tout déplacement, qui plus est avec des bagages, était considéré comme suspect, jusqu'à preuve du contraire, en ces temps d'Occupation. Le ventre arrondi de Suzanne serait une entrave au voyage mais en même temps un alibi. Au moins jusqu'au dernier village. Il serait bien plus difficile de trouver des raisons à leur présence dans la forêt. Ils avaient prévu plusieurs jours pour passer la frontière et atteindre les premiers villages vosgiens, avec de quoi dormir dans le froid, et ne pas trop souffrir de la faim.

Le risque était élevé, mais y avait-il un autre choix ?

Ils prirent donc un solide petit déjeuner dans la nuit encore noire, pendant que Robert préparait les deux seuls chevaux qu'on pouvait encore trouver à la ferme. Il devrait faire vite pour ne pas laisser les chèvres seules trop longtemps. Il s'était levé deux heures plus tôt pour traire les vingt bêtes afin qu'elles ne souffrent pas d'attendre son retour en fin de matinée, comme cela avait été planifié.

Le ciel était dégagé et le froid, pénétrant. La femme avait mis autant de couches de vêtements qu'elle le pouvait. Ça la protégerait et ça évitait d'encombrer le sac déjà lourd. Elle n'avait pu renoncer à prendre quelques souvenirs qui la reliaient à Léon. Une photo, qu'elle avait dissimulée dans la doublure de sa veste, le seul argent qu'elle possédait, de même que quelques bijoux, et la petite boîte en bois qu'il lui avait fabriquée, garnie de sa demande en mariage.

Elle eut le cœur serré et le ventre noué en se retournant une dernière fois sur sa maison. Elle partait en sachant ce qu'elle laissait derrière elle. Et en ignorant ce qui l'attendait.

Pas le choix.

La descente fut périlleuse. Il avait encore neigé dans la nuit et certains endroits exposés au vent avaient vu apparaître des congères, que les chevaux peinaient à traverser. Le garçon était installé derrière Suzanne, comme pour lui servir de rempart. Mais en fait c'était elle qui le sécurisait. Elle montait parfaitement à cheval. Même enceinte. Cependant, la position inclinée pour aider l'animal dans sa besogne en répartissant le poids à l'arrière lui était difficile à tenir, en raison du ventre, et l'adolescent faisait un effort incroyable pour la laisser se reposer contre lui en résistant de tous ses muscles. Pendant ce temps, Robert, qui ouvrait le chemin, se retournait régulièrement pour voir comment ils se débrouillaient à deux.

À trois avec le cheval.

À quatre avec le bébé.

Il choisit les chemins les moins fréquentés, coupant parfois directement par la forêt pour ne pas être repérér. Tout se savait. Tout se disait, parfois avec malveillance, quand il était question de sauver sa peau. Ce jour-là, c'était celle de Suzanne qu'il fallait sauver. Et de son enfant. Puisque pour Léon le destin était bien compromis. Robert savait qu'on sortait difficilement indemne de la Kommandantur. Surtout les résistants. Il se disait qu'elle avait déjà eu la chance de ne pas assister en direct à son exécution sommaire. Il se doutait bien que c'était le besoin en hommes qui avait motivé les Allemands à l'épargner. En hommes et en chair à canon. Il serait envoyé en première ligne sur le front russe, avec une chance infime d'en revenir.

Mais comment dire tout cela à Suzanne? Elle portait la vie, elle avait besoin d'espoir pour l'engendrer. D'espoir et de sécurité, affective et humaine. Pas d'un type qui lui dise qu'elle ne reverrait probablement jamais son mari.

Laisser se former un bébé sans détruire la mère. C'était la seule motivation de Robert sur ce cheval. Et ça lui fichait une grosse boule dans le ventre d'y penser. Saloperie de guerre qui foutait en l'air les destins heureux.

Une boule qui explosa quand il fut question de décider que c'était là qu'il devait les laisser partir à pied et rebrousser chemin avec un cheval au licol, ne portant plus personne. Laisser partir sa jeune voisine pour qui il avait beaucoup de tendresse, sans savoir s'il la reverrait un jour. Sans même être sûr qu'elle ne serait pas fusillée après seulement deux sommations, sur les crêtes, là-haut, au poste frontière. Comment allait-il réussir à dormir ? Ils étaient nombreux autour de lui, les gens qui devaient dormir sans connaître le destin de leurs proches. Dormir la peur au ventre sur l'interminable attente. Dormir sur la colère et sur la rage. Dormir sur l'injustice.

Et ils sombraient d'épuisement. Le corps finissait par lâcher. Mais dès le matin, c'est tout cela qui leur revenait à la figure et donnait un goût amer au réveil.

Un mauvais goût à la vie.

Il saurait par le réseau.

Mais il saurait peut-être trop tard.

Alors à quoi bon savoir ? Pour dormir encore moins ?

Mercredi 23 juin 2010
Protéger les œufs de la collision

Je me réveille avec le réflexe d'écouter respirer Anna-Nina dans son sommeil, comme chaque matin. Il me faut quelques instants pour réaliser que je suis seul dans la roulotte. Qu'elle est restée dans ce nouveau lit, cette nouvelle chambre qu'elle a faite sienne en quelques jours.

Je décide de ne pas me morfondre dans mes draps et de vite me lever pour penser à autre chose.

J'allume mon téléphone, qui s'est chargé toute la nuit. J'ai un message vocal de mes parents. C'est rare. Trop rare pour que ce ne soit pas sérieux. C'est moi généralement qui les appelle. Nous avons instauré cette habitude au fil des ans. J'enfile un tee-shirt pour contrer la fraîcheur du petit matin et les fenêtres restées ouvertes la nuit entière et j'écoute le message.

Je reste un moment assis sur le bord du lit, à me demander comment je vais faire, avec la roulotte, avec Anna-Nina, pour la décider à partir, puisqu'il faut que je parte. Ça devait bien arriver un jour.

Il est encore trop tôt pour que la petite soit réveillée. J'enfile mes baskets et je pars courir. Voilà une éternité que je ne l'avais pas fait. Je ne cours que quand je suis de passage chez mes parents ou des amis et qu'ils peuvent veiller sur Anna-Nina. J'ai besoin de courir pour évacuer tout ce que je garde dans le ventre depuis quelques jours. Quelques années peut-être. Courir pour oublier. Ou pour secouer tout ce que j'ai à l'intérieur, en espérant que ça se rangera tout seul bien proprement en retombant.

Tu parles !

Je reviens une heure plus tard, vidé, relâché, et dégoulinant. Je passe chercher quelques affaires propres et j'avale un grand verre d'eau avant d'aller dans la maison pour me doucher. Et leur annoncer la situation.

Elles sont assises à la table du petit déjeuner. Silencieuses. Anna-Nina a fait un cauchemar qui l'a réveillée. Elle a encore les yeux humides et lointains. Finalement, je sers peut-être quand même à quelque chose quand nous dormons ensemble. Je l'embrasse du bout des lèvres, pour ne pas salir sa douce peau d'enfant de ma sueur chargée de toxines et de ressentiment.

Elle me raconte vaguement son rêve. Et je lui promets d'installer au-dessus de son lit le piège à rêves indien, fait de ficelles et de plumes, que nous avons fabriqué un jour où nous avions trouvé dans la forêt les vestiges d'un drame animalier.

Et puis je me lance.

— J'ai une mauvaise nouvelle. J'ai eu un message de mes parents. La santé de mon grand-père s'est beaucoup dégradée. Il est atteint d'un cancer de la prostate depuis un moment. C'est probablement la fin. Ils me demandent de venir. Rapidement. Pépé m'aime beaucoup, il aimerait me revoir une dernière fois.

– Il est à Paris ?

– Oui.

– Je dois venir ? me demande ma fille avec une pointe d'inquiétude dans la voix.

– Je ne sais pas, ma puce. J'ai envie de te laisser le choix. Mon papy, tu ne le connais pas beaucoup, et ce ne sera pas très joyeux. Mais je ne sais pas trop comment faire.

– Laissez-la-moi, je peux m'en occuper le temps de votre absence.

– Oui, Papa. Dis oui. Je veux pas louper l'école.

– Ça risque de durer plusieurs jours. Je ne sais pas quand je rentrerai.

– Je ne bouge pas d'ici.

– Dis oui, Papa !

Gustave entre alors dans la cuisine, deux œufs dans chaque main. Anna-Nina se lève instantanément pour aller le serrer contre elle, et lui annonce fièrement qu'elle va rester quelques jours avec eux. Le vieil homme nous regarde sans comprendre, les deux bras en l'air, tout de même soulagé d'avoir protégé les œufs de la collision avec une petite fille trop enthousiaste. Je lui expliquerai après ma douche. Si Valentine ne l'a pas fait entre-temps.

Elle l'aura fait.

Je n'avais même pas dit oui.

Je reste un long moment les yeux fermés sous le jet d'eau qui coule sur ma peau, me lavant de la sueur collante. Je me sens seul. Incroyablement seul. C'est peut-être la première fois que je prends conscience à ce point de ma solitude. Avant il y avait Hélène. Puis la petite. Chaque jour, chaque nuit. À chaque seconde.

Aujourd'hui, c'est comme si elle se détachait de sa base. Elle peut vivre sans moi, et cela me transperce d'un douloureux sentiment d'impuissance, d'insuffisance, d'inutilité. J'aurais peut-être aimé qu'elle veuille venir, elle aurait vu ses grands-parents, même si je sais que le moment sera pénible.

Mais ce n'est pas le cas.

Penser à ma fille, à son bien-être, son équilibre, à ce qui est bon pour elle. Ne pas penser au reste. Ne pas penser à moi, à mon impuissance, à mon insuffisance, mon inutilité.

Ne penser à rien puisque je ne suis pas plus que ça, là, sous l'eau qui dégouline comme elle le ferait sur un rocher inerte.

Mercredi 23 juin 2010
La garder

Je n'irais pas jusqu'à dire que je me réjouis qu'il parte… Quoique.

Le contexte me l'interdit. Mais je suis heureuse qu'il me confie Anna-Nina. Il a rappelé ses parents. Cela semble vraiment critique, et je lui ai proposé de l'emmener à la gare de Fouday, en tout début d'après-midi, pour qu'il puisse prendre un TGV à Strasbourg le faisant arriver le soir même. Mais il préfère ne partir que demain matin. Je crois qu'il a besoin de se préparer à l'épreuve. Pas celle de la mort de son grand-père, c'est dans l'ordre des choses, mais celle de la séparation d'avec sa fille.

Soit. J'attendrai.

Je peux comprendre. Ça doit être difficile après sept années sans la quitter. Sept années toujours ensemble, en permanence, à se promener, bricoler, jouer, se reposer, lire, se câliner. Et se câliner encore.

Arrive le soir. Et le moment où il redescend de l'étage en m'annonçant qu'elle dort. Il l'a veillée jusqu'au sommeil.

Pour profiter des derniers instants. Demain matin, je l'emmène très tôt, elle dormira encore. J'ai convenu avec Gustave qu'il vienne s'allonger sur le canapé du salon le temps de mon aller-retour à la gare. De toute façon, à six heures du matin, il ne dort déjà plus. Il s'est calé depuis des années sur le rythme de nos poules.

Éric m'annonce qu'il part se coucher lui aussi, fatigué par cette journée riche en événements. Pas de tisane. Pas d'échange. Pas d'amour des corps. Juste la froideur d'un cœur de père qui part.

Il est vingt et une heure. Je me lance enfin dans mon travail. Les corrections de la leçon du jour, la préparation de celles de demain et de vendredi, et, si j'en ai le courage, je commencerai les bulletins.

Je me fais d'abord une tisane. Et puis je me prépare quelques carrés de chocolat et des fruits secs pour tenir un bout de soirée. J'envoie un message à Gaël pour qu'on se motive. Je sais qu'il travaille toujours le soir. Surtout le mercredi.

– Ça va ?

– Sables mouvants. Je bosse pour oublier. Et toi ?

– Bien ! Te raconterai demain. Il faut croire que tu as pied dans tes sables mouvants pour avoir encore la tête dehors. C'est bon signe !

– Je flotte dans mes larmes. C'est salé, ça porte d'autant mieux les corps immergés. Regarde la mer Morte. Je me sens dans le même état.

– Pense à ma solution radicale, si la solution douce te noie un peu plus...

– Tout couper ? Pas possible ! Va bosser ! Je suis certain que tu n'as encore rien fait pour demain, feignasse !

– Moi aussi je t'aime.

Vingt-trois heures. J'ai fini les corrections et la préparation pour demain. Gaël m'a envoyé un message pour m'annoncer qu'il partait se coucher, pour se blottir un peu contre sa femme et essayer à son contact de décorner au moins une ou deux pages de son livre ouvert. En silence puisqu'il ne peut rien dire de ce qui le taraude. Juste se blottir. Je poursuis mon travail, pour le plaisir de lui dire demain matin que j'ai avancé plus que lui. Quoi qu'il fasse, il me donne de l'élan, même quand il part se coucher.

Je m'apprête à attaquer le premier bulletin quand Éric entre dans la pièce. Je ne sais pas si c'est pour se blottir…

Mais il s'assoit finalement à table, en face de moi.

– Tu n'arrives pas à dormir ?

Le tutoiement m'est venu sans réfléchir. Après tout, on a couché ensemble, ça fait quelque temps qu'il est là, il me confie la petite pendant son absence. Il me semble justifié de considérer qu'une certaine proximité s'est installée et qu'elle nous autorise le tutoiement. De toute façon, c'était instinctif. J'ai arrêté de laisser combattre la raison et l'instinct.

Il ne relève pas.

Il ne répond pas non plus.

– Vous travaillez encore à cette heure ? me demande-t-il après un long silence durant lequel j'ai finalement commencé le premier bulletin.

Le tutoiement n'est pas passé. Il doit vouloir garder une certaine distance.

– Je me couche rarement avant minuit.

– Mais vous faites quoi ?

– Je corrige les cahiers, je prépare ce que je vais faire dans les jours qui viennent et là, en ce moment, je commence à remplir les bulletins de fin d'année.

– Je ne pensais pas que ça prenait autant de temps.

– Peu de gens pensent qu'on travaille en dehors des heures de classe. Ils s'imaginent qu'on a fini en même temps que les enfants, qu'on ferme l'école et qu'on rentre chez nous pour lire le dernier *Télérama* ou tricoter des pulls de laine. Et que, pendant les vacances, on est vraiment en vacances.

– Et ce n'est pas le cas ?

– S'occuper de trente enfants une journée entière, vous avez déjà imaginé la situation ?

– Non.

– Essayez, vous verrez, c'est drôle.

– J'en serais incapable.

– Ah, ça, c'est encore une réaction très répandue. Les gens pensent qu'on a un métier sympa et facile, mais ils se sentiraient incapables de prendre notre place. Ça ne les empêche pas d'avoir tous un avis sur la question. Sous prétexte qu'ils sont passés par l'école un jour.

– Vous n'avez pas non plus le pire des métiers…

– C'est quoi le pire des métiers ?

– Éboueur ? Ça sent mauvais.

– Dans ce cas, équarrisseur, c'est pire. L'odeur de la charogne est insoutenable.

– Les pompiers ne voient pas des choses très heureuses non plus...

– Oui, mais ils sauvent des gens. Ils sont vénérés. Comme les professionnels de santé.

– Certes. Alors le travail à la chaîne ! C'est peu épanouissant. Vous, vous avez cet honorable rôle d'éduquer les citoyens de demain.

– Le plaisir n'annule pas la difficulté. Je ne me plains pas, j'ai la sécurité de l'emploi, j'ai des congés, c'est un métier intéressant et varié, mais j'ai du mal à supporter quand on me dit que je ne fous rien. Et puis, il y a la responsabilité d'enfants qui ne sont pas les vôtres. Vous allez partir en me confiant votre fille. Vous comptez sur moi pour qu'elle soit bien et qu'il ne lui arrive rien. Vous multipliez ça par trente, tous les jours, et vous avez le boulot d'un instit. Enfin, une partie.

– C'est si épuisant que ça ?

– Oui, c'est épuisant, parce qu'il y a une pression permanente. On n'a pas un instant de répit. À part à la récréation. Et encore, nous devons garder la vigilance en position ON. Dans la classe, l'attention est continue. Il faut savoir gérer plusieurs choses en même temps. Faire face à des enfants turbulents, voire violents avec leurs camarades, et pouvoir en même temps s'occuper de celui qui, ultradiscret, ne fera rien si on ne vient pas le chercher et le prendre par la main. Nous devons savoir organiser une sortie scolaire, faire preuve de diplomatie avec les parents, garder notre calme, avoir des compétences pédagogiques dans toutes les matières, une résistance physique et émotionnelle à toute épreuve. Savoir chanter, nager, improviser, dessiner, compter, parler, inventer, punir et réconforter. Et nettoyer le vomi sans vomir soi-même.

– Heureusement que vous ne m'avez pas dit tout ça avant de demander à emmener Anna-Nina à l'école. Il fait peur, votre tableau !

– Il y a des moments magiques aussi. Et heureusement. Quand on porte à bout de bras un enfant en difficulté qui ne sait toujours pas lire à son entrée en CE1, ni à celle de CE2, et que le dernier jour d'école, on comprend qu'il déchiffre une inscription sur le mur, en le voyant bouger les yeux et les lèvres, on oublie tout le reste, parce qu'on sait pourquoi on est là. Alors je ne me plains pas. J'aime ce que je fais. Mais oui, je travaille encore parfois à minuit, parce qu'il me tient à cœur de faire mon travail correctement et de ne pas donner raison à tous ceux qui pensent que les fonctionnaires sont des fainéants payés à se tourner les pouces et qu'ils sont trop nombreux, tels des parasites qui gangrènent la société productrice de richesses. C'est vrai, je ne produis rien. Si ce n'est des enfants qui repartent avec un peu plus de connaissances et de compétences pour entrer dans ladite société productrice de richesses, futures briques à l'édifice du PIB. Des enfants à qui j'ai appris à lire, à compter, à réfléchir, à comprendre, à qui j'ai transmis le partage avec les autres, le discernement, l'écoute attentive, un peu d'audace aussi, et surtout l'envie d'étudier. Parce que c'est d'apprendre qui donne envie de se lever le matin, non ?

– Entre autres. Moi, c'est la perspective de manger une bonne tartine beurrée.

– Vous êtes désespérant.

– Je plaisante. Je croyais que le temps que je passais à éduquer ma fille était lié au fait que ce n'était pas du tout mon métier, mais je comprends mieux les enjeux maintenant. Et je vais vous laisser travailler. On part à quelle heure demain matin ?

– Cinq heures quarante-cinq.

Et il part en me lançant «bonne nuit» sans se retourner…
Juste la froideur d'un cœur de père qui part.

Jeudi 24 juin 2010
Partir

Anna-Nina dort profondément. La lumière dans le couloir éclaire son visage paisible. Je ne la touche pas, de peur de la réveiller. S'ensuivraient des au revoir trop difficiles. Je la regarde, et je lui envoie mes mots d'amour en les pensant. Et puis je reviens dans quelques jours, ce n'est pas si terrible.

Je referme la porte de la chambre derrière moi.

Si.

C'est terrible.

J'enjambe Croquette, allongée de tout son long sur le tapis devant la porte. Entre le chien et Gustave, je crois qu'elle est en sécurité. Je n'ai pas peur pour ça, je n'ai même pas peur pour elle. J'ai peur pour moi. L'idée de partir sans elle va me plonger dans un vide que je redoute. Mais après tout, il faut bien un jour commencer à s'y préparer. Elle ne partira pas tout de suite, mais elle ne va pas non plus passer sa vie avec moi.

Valentine m'attend dans l'entrée. Je la regarde sans un mot et j'attrape mon sac. Nous pouvons y aller maintenant.

Le jour se lève à peine, et les premiers virages dans la

forêt se déroulent en silence. Je me sens étrange. Je ne sais pas si je lui en veux, à cette femme qui est en train de m'emmener à la gare, ou si je lui suis reconnaissant. Elle me permet de faire face à la situation urgente de mon grand-père mourant tout en préservant la petite, mais elle est responsable de ma première grosse séparation d'avec Anna-Nina. J'ai une reconnaissante acerbe. Ou un ressentiment bienveillant?

– Je vous remercie pour votre confiance, me dit-elle alors.

– Je crois qu'elle se sent bien avec vous.

– Vous allez lui manquer. Mais c'est probablement mieux comme ça, surtout si elle ne l'a pas trop connu. Prenez le temps qu'il vous faut. Et appelez quand vous voulez.

– J'aviserai sur place.

– Vous avez aussi le droit de faire un break. Depuis sept ans, combien de fois avez-vous pu prendre du temps juste pour vous plusieurs jours d'affilée?

– C'est la première fois.

– Alors prenez le temps.

– J'aurais préféré une occasion plus heureuse pour le faire.

– Il y en aura. Au moins, là, vous n'avez pas le choix. Sinon, vous ne seriez pas parti. Je me trompe?

– Non.

– Ne vous inquiétez pas pour elle.

– Comment ça va à l'école?

– Bien. Je crois qu'elle s'y épanouit. Surtout au contact

des autres enfants. Et puis, elle apprend à une vitesse vertigineuse. C'est très agréable.

– Elle ne va plus vouloir la quitter…

– C'est bientôt les grandes vacances. Deux mois, ça permet de prendre du recul, non ?

– On verra.

Elle ne me demande même pas si je veux qu'elle m'accompagne sur le quai. Elle est déjà sortie de sa voiture quand je referme ma portière. La gare est minuscule et il n'y a que deux autres personnes. À cette heure, forcément.

Je prends mon billet pour Strasbourg à la borne automatique, et je le composte. Le train sera là dans quelques minutes.

– Je ne vous fais pas les dernières recommandations, hein ?

– Comme vous voulez. Si ça vous soulage de me dire quoi faire.

– Rien ne me soulage.

– Ça vous soulagera de revenir.

Je ne sais pas comment lui dire au revoir, il ne peut pas y avoir que la froideur de mon départ après la chaleur de nos nuits, alors je pose simplement ma main sur sa joue. Elle me sourit, et s'en va en levant la sienne pour me faire signe, mais sans se retourner. Elle doit déjà être avec Anna-Nina en pensée. Elles se sont liées l'une à l'autre, beaucoup trop vite et beaucoup trop fort. Et plus le temps passe, moins je me sens libre.

Ces quelques jours vont me faire du bien. Même si je crains que cela ne les rapproche encore un peu plus.

Rester

Je suis allée réveiller la petite pour qu'elle ait le temps de se préparer et de déjeuner avant l'école. Je l'ai regardée quelques instants. C'est beau, un enfant qui dort. Même plongé dans ses songes les plus lointains, l'adulte n'arrive plus à donner une si belle image d'innocence. Je crois qu'en regardant le visage d'un enfant endormi, c'est un peu son cœur pur que l'on aperçoit.

Et puis elle s'est étirée en soupirant, les yeux fermés. Quand elle les a ouverts, elle souriait.

– Papa est déjà parti ?

– Oui, je l'ai emmené à la gare. Il m'a dit de t'embrasser.

– Il va vite revenir, hein ?

– Oui, bien sûr. Tu ne vas même pas voir le temps passer. On va faire plein de choses en attendant. Et pour l'instant, se lever pour aller à l'école.

Elle mange sa tartine bruyamment. Le lait chocolaté dégouline le long du pain et retombe dans le bol. Elle adore tremper. Ma mère m'a toujours appris à ne pas le faire. Mauvaises manières ! Mais la petite y prend un tel plaisir. Depuis qu'ils sont là, je m'y suis mise, et j'avoue que ledit plaisir en vaut la peine. Tant pis si c'est mal élevé. On s'en fiche. Puisque c'est bon et que ça ne nuit à personne.

Nous arrivons à l'école avec quinze bonnes minutes d'avance. Je suis censée ouvrir les grilles. Mais Gaël est déjà là. Soit il n'a pas dormi, soit il a beaucoup pleuré. Ses pauvres yeux rouge fatigue trahissent le bonhomme. Il me raconte sa dispute avec Stéphanie.

– J'ai l'impression qu'elle me répond par politesse, mais que la chaleur de notre rencontre n'est plus là.

– Une réponse sans chaleur, c'est comme un regard qui se pose ailleurs.

– Qui a dit ça ?

– Je ne sais plus. Probablement un petit bonhomme chauve et rond drapé dans une nappe orange et vivant au Tibet.

– Lao Valentine Tseu !

– Tu me fais de la peine Gaël. J'aime pas te savoir comme ça.

– Ça va aller, ne t'inquiète pas. Et toi ?

– Moi ? Je garde Anna-Nina pour quelques jours.

– Il est parti ?

– Affaires familiales, son grand-père est en train de mourir, à Paris.

– Et il t'a laissé sa fille ?

– Ben oui. Et alors ?

– Et alors, il te fait confiance. Et tu couches avec lui. S'il n'est pas l'homme de ta vie avec tout ça.

– Arrête un peu avec ça. Je n'ai pas envie de m'attacher à lui.

– Mais à sa fille, oui.

– Elle est adorable. La fille que j'ai toujours rêvé d'avoir.

– Valentine ! Tu files un mauvais coton. Ne t'attache pas à elle si tu ne veux rien savoir de lui. Ils sont comme la lune et le soleil, comme la locomotive et les wagons, comme le sable et la mer. L'un ne va pas sans l'autre.

– Je sais. Mais tu me connais !

– Justement ! Soigne-toi pour pouvoir l'accepter lui, ou alors oublie la petite. Toi aussi, tu vas souffrir.

– Je ne peux pas ne pas m'attacher à elle, ça faisait longtemps qu'un enfant ne m'avait pas émerveillée ainsi.

– Valentine, chez toi, l'éblouissement est permanent. Tu es capable de t'émerveiller devant tes essuie-glaces qui battent la mesure de la musique de ton autoradio.

– Pas toi ?

– Non, pas moi ! Peu de gens, je crois !

– Ah. Donc, raison de plus pour être émerveillée par cette gamine.

– Alors émerveille-toi pour son père aussi, et pas que pour son corps !

– Allez, c'est l'heure…

– Valentine ! Va voir quelqu'un pour arrêter de fuir les hommes.

– Quelqu'un ? Toi non plus tu n'arrives pas à prononcer le mot psy ?

– Va voir un psy-ce-que-tu-veux, mais aide-toi un peu, bon sang.

– C'est l'hôpital qui se fout de la charité !

– Moi, j'aime trop à la fois, c'est différent de toi.

– Et pourquoi tu as les yeux rouges ce matin ? Au moins, quand on ne s'attache pas, on ne souffre pas. J'étouffe avec un homme à la maison.

– Il n'y a que sous la couette que tu n'étouffes pas. C'est un comble quand même.

– Ça me convient bien comme ça.

– Bien sûr que non ! Tu t'attaches à une enfant sans vouloir entendre parler de son père alors que leur lien est indéfectible. Tu espères quoi ?

– Qu'un enfant viendra nous dire que c'est l'heure d'entrer en classe, pour que tu arrêtes de me sermonner.

– C'est quand tu sais que j'ai raison que tu brandis la pancarte du sermon. Allez, file parler de la vie à tes élèves, et réfléchis à la tienne !

Il n'avait que quatorze ans

Suzanne et son jeune compagnon de route marchèrent deux jours dans la neige, dans le froid, dans la peur tout aussi glaçante. Deux jours sur le qui-vive, en priant pour ne pas être vus, ne pas être pris. Elle avait une condition physique à la hauteur de la rage de s'en sortir qu'elle portait en elle en même temps que le bébé de son amour. Même si elle progressait doucement, elle voulait prouver qu'elle était capable, forte, battante, malgré la fatigue, le risque, la faim, l'inconnu, le chagrin. Parce qu'elle ne pouvait pas abandonner alors que pendant ce temps Léon, peut-être, défendait courageusement sa propre vie.

Le jeune homme était à l'affût du moindre bruit et savait parfaitement se repérer dans la forêt. Déjouer les pièges de l'hiver et des sous-bois. Il ouvrait la route et donnait des indications, parfois en un langage primaire de signes qu'ils avaient établi avant d'arriver dans la zone où être silencieux pouvait leur sauver la vie et le moindre murmure leur être fatal.

Le premier soir, Suzanne s'était effondrée dans la neige et n'avait pu aider le garçon à creuser un abri au fond d'une crevasse entre les arbres, pour les protéger du vent. Il avait fixé une couverture au-dessus d'eux avec quelques branches solides et ils s'étaient enlacés très serrés, pour limiter au minimum la déperdition de chaleur. Ils avaient peu dormi, d'une part pour ne pas être saisis par le froid, et d'autre part pour arriver plus vite de l'autre côté, là où ils espéraient une meilleure sécurité. Mais les quelques heures passées contre Suzanne lui avaient donné le privilège de sentir à travers les peaux et les tissus épais quelques mouvements vifs et déterminés d'un petit être qui ignorait encore tout de la réalité de la vie.

À moins que déjà il ne sache.

Tout au long du difficile parcours, Suzanne s'était assise plusieurs fois dans la neige, des larmes roulant sans bruit sur ses joues. Épuisement et tristesse. Mais elle avait deux peaux à sauver. La sienne et celle du bébé. Alors elle se relevait.

Arrivés sur la ligne de crête alors que la nuit était déjà tombée depuis quelques heures, ils étaient passés à quelques dizaines de mètres d'une patrouille allemande. Ils ne voyaient dans l'obscurité que l'incandescence de leurs cigarettes, qui s'allumaient avec une certaine régularité. Et quelques rires entre les lumières. Les soldats étaient détendus. Moins vigilants, donc. Suzanne ne respirait quasiment pas. C'était le moment critique, celui où il fallait être aussi légère et discrète que la plume. Elle avait trouvé l'adolescent incroyablement habile et courageux. Elle savait que sa vie dépendait de lui, et uniquement de lui, en cette nuit presque noire où il fallait connaître le terrain avec une certaine perfection pour ne pas perdre toute chance de réussite à cause d'une erreur de parcours.

Et ils avaient réussi.

Ils avaient marché plus d'une heure encore avant de décider de dormir un peu. Le village vosgien qu'ils espéraient atteindre était encore à plusieurs heures de marche et le ventre de Suzanne la tiraillait terriblement.

La deuxième nuit avait été moins froide car l'adolescent connaissait l'existence d'une grande anfractuosité rocheuse, loin du chemin, mais sûre et protectrice. Ils s'étaient quand même enlacés, autant pour la chaleur que pour le réconfort. Et le bébé de cogner de plus belle, comme pour fêter le passage et le soulagement qu'il devait ressentir, baignant dans les émotions maternelles.

Suzanne avait simplement dit merci au garçon. Mais ce mot portait une telle charge de sincérité qu'il valait les plus longs discours.

Il venait probablement de sauver deux vies.

Et il n'avait que quatorze ans.

Le point de rupture

Mon Hélène,

J'ai l'impression qu'en m'éloignant dans ce train lancé à pleine vitesse, il y a un morceau de moi qui est resté là-bas, et que mes entrailles me tiraillent comme un élastique. Je n'en connais pas le point de rupture.

Tu crois qu'elle m'aime encore ?

Tu crois qu'elle aimera encore notre vie ?

Tu crois que je pourrai repartir ?

Je ne sais pas quoi penser de moi. Tout était tellement facile avant cette nuit d'orage.

Ou alors c'était trop compliqué et le violent orage a tout éclairé ?

Anna-Nina semblait heureuse jusqu'à présent, mais là, elle est rayonnante.

L'amour avec Valentine a quelque chose de sublime, parce qu'il est hors du temps, sans conséquence et sans engagement, mais au quotidien. Elle est à la fois bordélique et perfectionniste. Elle court après le temps tout le temps, c'en est fatigant. On a l'impression que ce temps passe entre ses doigts et qu'elle serre tant qu'elle peut ses phalanges, à les rendre blanches, pour le retenir. Elle n'y arrive pas, et ça la rend nerveuse. Elle s'attarde aussi sur des petits riens matériels ou émotionnels, quand moi, je me suis détaché de tout le superflu. C'est moi qui semble superflu dans sa vie trop bien remplie. Et où pourtant, la petite a une place qui commence à prendre de l'importance.

Elle m'échappe.

Je ne vais bientôt plus pouvoir revenir en arrière. Rester? Chez Valentine? Ou dans le village? Ou dans un autre village, pour qu'elle garde au moins l'école, et advienne que pourra?

J'ai l'impression de ne plus être capable d'aimer, parce que tu as emmené avec toi mon entière capacité à chérir une femme sans crainte et sans retenue. Toutes mes certitudes quant à l'avenir à deux et la possibilité d'un couple ont coulé avec ton sang dans la poubelle de l'hôpital. Du trou béant de ta place au cimetière ne reste désormais que la peur de perdre.

C'était si simple à Paris, avec toi. Nous étions pris dans le mouvement. Pas besoin de trop réfléchir au quotidien et à l'avenir. Nous savions ce que nous voulions, et nous avions presque tout.

Et puis plus rien. Le vide, l'absence. Juste un bébé.

JUSTE un bébé. C'est terrible de dire cela. Pour moi, le juste est devenu tout.

Et j'ai peur que le tout redevienne juste.

Si d'aventure tu peux m'envoyer un signe pour me dire

quoi penser, quoi faire, quoi éprouver, j'aimerais que tu le fasses maintenant.

Je compte sur toi.

Tu es ma bonne fée.

Vendredi 25 juin 2010
Autant de milieux que de gens

Anna-Nina a pleuré hier soir, quand son papa lui a téléphoné pour lui dire qu'il était bien arrivé et que ses grands-parents l'embrassaient fort.

– Tu vas revenir vite ? a-t-elle demandé.

Et puis en raccrochant, elle est venue se blottir contre moi. Elle avait ses bras autour de mon cou et me caressait le haut du dos de ses deux petites mains enfantines, comme elle doit le faire avec son père.

J'ai proposé de lui raconter une longue histoire et nous nous sommes retrouvées sous la couette, dans son lit. Elle triturait son doudou en prenant son pouce. Il y a un décalage immense entre sa sensibilité d'enfant et son intelligence exceptionnelle. Comme si la première rappelait que la deuxième ne devait pas la faire grandir trop vite dans le regard des autres.

Aujourd'hui s'est bien passé. Elle n'a montré aucun signe de mélancolie, trop occupée à jouer avec ses camarades à l'école, et à travailler sur les exercices que je lui avais donnés pendant que j'étudiais avec les autres élèves une leçon acquise depuis bien longtemps pour elle.

Elle a déjeuné avec Gaël et moi. Je les ai laissés un moment seuls, pour aller à la rencontre de parents à qui j'avais donné rendez-vous pour parler d'un souci avec leur enfant. Je crois que c'était la première fois qu'ils se retrouvaient tous les deux en tête à tête.

Je les ai rejoints dans la cour un peu avant le début de la classe de l'après-midi. Gaël regardait la petite sauter à la corde, avec une émotion palpable dans les prunelles.

— Elle est incroyable cette gamine.

— Ah ? Serais-tu émerveillé ?

— Mille fois plus que pour mes essuie-glaces, en tout cas ! Elle m'a demandé pourquoi j'étais triste.

— Elle lit des livres à longueur de temps, alors tu penses bien que celui que tu as sur le front ! Et tu lui as répondu quoi ?

— Que j'aimais beaucoup quelqu'un qui ne m'aimait probablement pas. Et que ça me faisait de la peine.

— Et elle t'a répondu quoi ?

— Elle m'a demandé si je pouvais faire quelque chose pour que cette personne m'aime plus. Et je n'ai pas su quoi répondre.

— Peut-être parce qu'il n'y a rien à répondre.

— Alors elle m'a demandé s'il y avait des gens autour de moi qui m'aimaient comme je suis, sans rien changer.

— Et ?

— Et j'ai pensé à toi. Et puis à Geneviève, qui m'aime depuis quinze ans, sans condition, et sans faillir. Qui m'aime avec trente kilos en plus ou cinquante en moins. Qui m'aime avec ou sans barbe, qui m'aime aussi quand je reviens d'avoir bricolé l'après-midi entière et que je sens la terre, la sciure et le bouc. Qui m'aime quand je suis malade ou fatigué, irritable ou excédé. Parce qu'elle aime ce que je suis en acceptant mes faiblesses et pas ce que je voudrais être, c'est-à-dire parfait.

– Alors pourquoi tu t'es entiché d'une autre ?

– Si je savais !

– Tu as peut-être besoin de te rassurer ? Si jamais Geneviève n'était plus là ?

– C'est pour ça qu'on aime, en fait ? Pour se rassurer ?

– C'est parce que sinon, la vie serait trop simple, et donc titanesquement chiante.

– Il n'y a pas un juste milieu entre le titanesquement chiant et le chaos sans répit ?

– Oh, il y a plein de milieux. Il y a sûrement autant de milieux que de gens. Certains sont plus au milieu que d'autres. Et je ne suis même pas sûre qu'on puisse choisir sa position. T'as le curseur là où la vie l'a placé pour toi.

– Ça se déplace un curseur, non ?

– Je suppose que oui. Ça doit servir à ça les « quelqu'un ».

– Quels « quelqu'un » ?

– Les psys !

Gaël a alors levé les yeux au ciel et s'est dirigé vers l'entrée de sa classe.

J'ai décidé que je travaillerais quand la petite dormirait et que je me devais de lui accorder ma fin d'après-midi. Nous sommes passées faire quelques courses, je lui ai acheté des élastiques et des pinces à cheveux, nous avons pris un goûter gargantuesque avec l'idée que le repas du soir serait une soupe et un fruit. Elle était joyeusement d'accord.

Elle vient de sortir du bain, dans lequel elle a trempé une bonne heure, en ajoutant de l'eau chaude régulièrement. Probablement une des choses qui doivent lui manquer dans la roulotte. Une baignoire, l'eau courante, et à bonne température. J'ai peur de lui créer de nouveaux besoins en l'accueillant ici. Mais n'est-ce pas devenu un besoin de base au vingt et unième siècle ? Son père semble penser que non. Moi je suis sûre que oui.

Elle est enveloppée dans une grande serviette et regarde ses orteils en souriant. Ils sont fripés comme des pommes en fin d'hiver. Je lui propose d'enfiler son pyjama et que nous nous attaquions aux tresses qu'elle voulait tant que je lui fasse. Elle est assise sur un petit tabouret, dans la chaleur de la salle de bain, devenue étuve après l'heure immergée dans l'eau chaude. Je suis assise sur les toilettes, dont j'ai fermé l'abattant. À la bonne hauteur pour être juste au-dessus de ses cheveux.

– Tu en veux quelques grosses, ou plein de petites ?

– Plein de petites, ça me fera les cheveux tout frisés quand je les enlèverai, non ?

– Si.

– Comme ça, je ferai la surprise à Papa quand il rentrera.

– Tu n'as pas peur de trop le surprendre, justement ? Il a peut-être besoin de retrouver se petite fille comme il l'a laissée.

– Ben non, je reste qui je suis, même si je n'ai pas les mêmes cheveux.

Je me pose la question de peur qu'il pense que je la modèle à mon goût, puisqu'il semble me reprocher de l'éloigner de lui. J'ai commencé la première tresse quand elle me pose la question.

– Tu pourrais l'aimer, mon papa ?

Je fais semblant de ne pas être surprise en poursuivant mon entreprise capillaire sans ciller, mais j'attends un instant avant de lui répondre.

– Pourquoi tu me poses la question ?

– Parce que ce serait bien. Si tu étais amoureuse de lui, on pourrait rester ici et je pourrais continuer à aller à l'école.

– S'il décide un jour de rester, il peut aussi s'installer par ici sans que ce soit avec moi, tu sais ? Tu pourrais venir dans mon école mais en habitant ailleurs que chez moi.

– Mais moi, je t'aime beaucoup, et j'aime beaucoup Gustave, et le jardin, et les lapins, et les poules, et le bricolage, et le chien, et la maison.

– Tu pourrais venir quand tu veux.

Elle marque un long silence pendant lequel je termine la première natte avec un élastique. C'est à la moitié de la deuxième, alors que je m'applique à équilibrer les mèches qu'elle ajoute :

– Et puis, aussi, il serait moins seul.

– Tu crois qu'il en souffre ?

– Il m'a moi, mais c'est pas pareil qu'une femme. Il est triste que ma maman ne soit plus là, et j'ai l'impression qu'il ne comprend pas qu'elle ne reviendra plus.

– Peut-être qu'il comprend mais qu'il n'accepte pas, c'est différent.

– Il est quand même seul.

– Lui en as-tu déjà parlé ?

– Non. C'est pas mes oignons.

– Tu as quand même le droit de lui dire ce que tu penses et ce que tu souhaiterais pour lui.

– J'ai juste envie qu'il soit heureux.

– Crois-tu qu'il puisse être heureux avec moi ?

– Plus qu'avec ma maman. Toi, t'es vivante.

– Tu sais, parfois, c'est difficile de tourner la page quand le chapitre d'avant était joli et qu'on trouve injuste de devoir en lire un nouveau.

– Mais dans les nouveaux chapitres, il y a plein de choses intéressantes aussi.

– Oui, mais tant qu'on ne sait pas, on s'attarde sur ce qu'on a déjà lu et qu'on connaît.

– Je pourrais faire quoi pour lui donner envie de lire le prochain chapitre ?

– Je suis sûre que tu as une petite idée…

– Lui dire que j'aimerais une autre maman ? Et que ce serait trop cool que ce soit toi ?

– Je pense que c'est bien de lui dire ton envie d'une autre maman, mais en lui laissant peut-être la liberté de la choisir. Tu sais, nous sommes très différents, ça ne serait peut-être pas facile de vivre ensemble.

– Mais toi, tu aurais envie ?

– C'est trop tôt pour le dire… Et puis, tu sais, j'ai un peu de mal à l'idée de vivre avec un homme.

– Pourquoi ?

– Parce qu'à chaque fois que j'ai essayé, j'avais l'impression de manquer d'air.

– Il te fera du bouche-à-bouche, me lance-t-elle dans

un éclat de rire en se jetant en avant, la tête enfouie dans les mains, gênée par sa propre audace.

– Eeeh, dis donc ! lui dis-je en faisant semblant d'être indignée mais en ayant beaucoup de difficulté à me retenir de rire moi aussi. J'en ai lâché ta tresse. Ne bouge pas, on n'aura jamais fini si tu continues.

– Alors on pourrait dire à mon papa de te laisser respirer de temps en temps, ajoute-t-elle avec sérieux.

Que répondre à cela ? Tout en continuant de lui tresser les cheveux, je pense à Gaël qui me suggérait d'aller voir quelqu'un, à Sylvie qui me proposait d'en reparler. À cette épuisante ambivalence qui me plonge depuis des années dans la tristesse d'être seule et l'impossibilité de ne pas l'être. Pour une raison que j'ignore encore, il m'est impossible d'accorder une place durable à un compagnon.

Pourquoi j'y arrive avec les enfants ?

Je me dis que le temps me donnera des réponses. Éric aussi. Je n'ai aucune idée de ses intentions. Je ne sais pas s'il a envie de rester, s'il espère repartir et ne jamais revenir. Je ne sais pas s'il m'aime ou s'il n'aime que le corps que je lui ai offert deux fois. Moi, j'ai aimé le sien, mais est-ce à dire que j'aimerai aussi quand il laissera traîner ses chaussettes dans la salle de bain, qu'il se réveillera à côté de moi tous les matins après avoir ronflé toutes les nuits, qu'il me contredira, parce que forcément, il ne sera pas d'accord sur tout ? Suis-je vraiment prête à affronter cela ? Et puis, il faut aimer pour vivre ensemble. Je ne sais pas si je l'aime, ni si je peux l'aimer avec le temps.

– Tu sais, Anna-Nina, je crois qu'il ne faut pas trop réfléchir à l'avenir. Tu pourras juste lui dire ce que tu ressens, et après, il décidera en fonction de lui et de toi. Mais sache que ton papa prend toujours ses décisions en essayant de faire en sorte que ce soit pour ton bien. Quoi qu'il décide, tu seras toujours la bienvenue ici.

– Il me manque.

– C'est normal. Veux-tu qu'on l'appelle quand on aura fini les tresses ?

– Oui.

Nous terminons la coiffure en silence. Lorsque je jette un œil dans le miroir pour voir son visage, elle sourit paisiblement, les yeux à moitié fermés comme un chat qu'on câline.

– J'aimerais avoir une maman comme toi !

Ne pas craquer, oublier mes besoins. Penser à la prise de conscience qu'elle vit en accéléré depuis qu'elle a atterri ici, en découvrant l'école, les mamans qui viennent chercher leur enfant à la sortie, celle de Charlotte, qu'elle a côtoyée une soirée et un matin. Le manque n'apparaît parfois que quand on voit que les autres ont ce que l'on n'a jamais eu.

Je prends soudain conscience de la complexité de la situation dans laquelle un orage nous a tous mis il y a si peu de temps. Un orage peut-il à ce point faire sauter les repères de plusieurs personnes ? Il peut à ce point faire gronder les consciences et les peurs ? Il peut à ce point éclairer par à-coups nos obscurités profondes ?

Oh, comme j'ai peur de ce que ma conscience installe en moi. Je m'attache, et il sera terrible de me détacher. De l'un, de l'autre, et de ce qu'ils forment ensemble.

Putain d'orage. J'étais bien tranquille dans ma petite vie, avant.

Oui, j'étais tranquille, avec une conscience droite comme un bambou. Et c'est un saule tortueux qui en a pris la place.

Mais je ne pétillais pas...

Je ne pétillais plus...

Alors, à choisir, hein ?

La fin de l'emprise

Voilà quelques semaines que Suzanne et son jeune passeur étaient arrivés dans cette ferme perdue de la montagne vosgienne. Ils avaient transité par le village de Moussey, où le réseau les avait rapidement pris en charge. Il fallut encore marcher, même si une carriole et un cheval avaient finalement été trouvés pour Suzanne.

Oh, ça ne serait pas facile. On les avait prévenus qu'en échange de la planque, ils seraient redevables de travail, agricole pour le jeune homme, moins difficile mais permanent pour Suzanne. Ce qu'elle pourrait faire, en tout cas, encombrée de son gros ventre. Les gens n'étaient pas méchants, au contraire. Ils faisaient ce qu'ils pouvaient pour aider. Mais il fallait bien survivre. Il y avait quatre enfants sur place et Suzanne avait été rassurée de savoir que la fermière avait bien accouché les quatre fois. Cela laissait augurer qu'elle pourrait l'accompagner le moment venu. La première sage-femme devait être à des kilomètres, s'il y en avait encore une dans les parages...

Le garçon avait revu son père, presque par hasard, en retournant à Moussey pour participer aux réunions du

ON REGRETTERA PLUS TARD

réseau. Le paternel n'en faisait pas partie, lui, c'était pour l'argent qu'il faisait passer des gens, pas pour les sauver, mais ils s'étaient retrouvés nez à nez, dans la rue. L'homme avait dû sentir que son fils avait grandi d'un coup d'un seul depuis ces quelques jours où il avait disparu avec cette femme plus âgée que lui, et qu'il n'avait plus la même emprise sur lui. Il lui avait simplement annoncé que s'il ne rentrait pas avec lui, là, maintenant, ce n'était plus la peine de revenir.

L'adolescent avait refusé.

Il ne savait pas, à ce moment-là, que c'était la dernière fois qu'il voyait son père, et qu'il ne reverrait pas non plus sa mère et ses deux petites sœurs.

Mais il ne pouvait pas repartir. Il ne pouvait pas retrouver cette vie indigne de fils de passeur malveillant. Lui, il voulait être un vrai passeur. Celui qui risque sa vie pour sauver celle d'autres humains, magnanime et sans recherche de profit. Un résistant, un vrai, qui en faisant passer des innocents lutte contre les coupables de l'horreur.

Il ne pouvait surtout pas laisser Suzanne seule. Pas à ce stade, pas après tout ce qu'il avait fait, pas sans avoir vu le bébé.

Il avait refusé.

Et il ne les avait jamais revus.

Un poisson sorti de son bocal

– Mais pourquoi tu n'y arrives pas ?

Gaël ouvre et ferme la bouche, les yeux exorbités, tel un poisson sorti de son bocal. Il cherche une réponse comme le poisson l'oxygène. Il n'en trouve manifestement pas.

– C'est quand même pas compliqué de te dire « j'arrête ».

– C'est plus fort que moi.

– Toi ? T'as la force d'un catcheur australien !

– Pour soulever des gosses ou des sacs de sable. Mais ma volonté est chétive.

– Eh bien, tu lui files un coup derrière la nuque, à ta volonté, pour qu'elle se réveille un peu et qu'elle fasse son boulot. Et la prochaine fois que tu as envie d'envoyer un message à Stéphanie, tu sommes cette volonté chétive de te hurler que non, ce n'est pas une bonne idée.

– Elle va hurler toute la journée !

– Perso, je préfère me briser les oreilles que le cœur, mais à toi de voir.

– Je n'y arrive pas, j'ai beau me dire « non, ne le fais pas, ne lui écris pas, laisse-la venir », il arrive un moment où je craque. Mais parfois, j'arrive à retarder le moment, tu sais ?

– Combien de temps ?

– Cinq bonnes minutes.

– Ah-ah ! Cinq minutes ! Gaël, il faudrait que tu tiennes cinq jours au moins pour que ce soit efficace.

– Cinq jours ???

Le poisson est ressorti de son bocal et agonise à nouveau sous mes yeux.

– Oui, cinq jours, juste pour voir si tu lui manques !

– Mais je ne veux pas qu'elle croie que je l'oublie, que je ne pense pas à elle.

– Admettons qu'elle pense effectivement ça de toi... et alors ?

– Alors, elle se dirait qu'il vaut mieux qu'elle s'éloigne de moi.

– Et alors ?

– Elle s'éloignerait de moi.

– Ce n'est pas ce qu'elle fait ?

– Si, je crois.

– Alors, ça changerait quoi ?

– Ça changerait que je n'aurais pas tout essayé pour ne pas la perdre.

– Mais prendre un peu de distance, c'est aussi essayer. Autre chose, mais c'est essayer quand même.

– Je n'y arrive pas. J'ai trop peur que ce soit la mauvaise solution.

– Dépasse tes peurs !

– Trop risqué.

– Tu risques quoi ?

189

– De la perdre.

– Tu la perds aussi en t'accrochant bêtement à la branche qu'elle est en train de scier. Descends de l'arbre et attends-la en bas, ça fera moins mal qu'une lourde chute.

– Et si elle ne descend pas ?

– Et si elle descend ?

– Et si elle ne descend pas ? insiste-t-il.

– Alors, c'est qu'elle n'en valait pas la peine.

– Ou que moi je n'en valais pas la peine.

– C'est quand même dingue ces gens qui pensent qu'on ne les aime pas à cause d'eux. Mais c'est celui qui ressent de l'amour, ou qui n'en ressent pas, qui est responsable de ce sentiment, pas l'objet dudit sentiment.

– Je suis donc responsable de l'amour que j'éprouve pour elle ?

– Bien sûr que oui. C'est bien pour ça que j'essaie de t'en soigner.

– Mais je ne suis pas malade !

– Tu plaisantes ? C'est comme si un de mes élèves venait me voir avec un filet de morve sous le nez et le front chaud, et qu'il me disait «je suis pas malade !».

– J'ai de la morve sous le nez ?

– T'as le cœur qui coule ! Mouche-toi !

L'étang est si grand

Les médecins nous ont annoncé que la fin était proche, sans pouvoir nous certifier l'échéance avec précision. Mon grand-père commence à avoir de longues absences. L'étape suivante sera probablement le coma, puis la mort. C'est le père de ma mère, et elle est très affectée. Ma grand-mère aussi. Elles sont contentes que je sois revenu. Même si elles espéraient revoir Anna-Nina.

C'est dans les moments critiques que les gens se confient et disent ce qu'ils ressentent. Je leur ai expliqué que je n'avais pas envie de la balancer dans une ambiance lugubre sans aucune préparation, alors qu'elle est en plein dans la vie en découvrant l'école. Elles ont compris, évidemment, mais j'ai conscience que je les prive de leur petite-fille. J'aurais mis des jours et des jours en roulotte, et là, j'ai traversé la moitié de la France en à peine plus de deux heures. De quoi donner des envies de sédentarisation non loin d'une gare TGV et d'une pension pour les chevaux.

Ma mère s'est aventurée à me demander si je reviendrais un jour vivre à Paris, mais ma réponse a été catégorique.

Impossible. Trop de mauvais souvenirs. Et puis, je suis devenu un peu sauvage. Je ne supporterais plus le brouhaha de la ville, aussi belle soit-elle.

— Et tu vas rester là-bas ou continuer ta vie d'itinérant ?

— Je n'avais pas prévu de m'arrêter, mais...

— Mais ?

— Mais je réfléchis.

— À quoi ?

— À l'avenir de la petite. Elle a besoin de stabilité. Et puis elle va grandir. Je lui offre quoi ? Je le vois avec cette femme, elle lui apporte des choses que je ne sais pas lui donner.

— Alors tu vas rester là-bas ?

— Je ne sais pas non plus. On est trop différents. Ça n'ira pas. Et puis, je pense à Hélène.

— Vous nous manquez, ici. D'ailleurs, il faudra bien que tu reprennes un travail, un jour, non ?

— Je sais, maman. Je suis un peu perdu. Je vais attendre la fin de la classe et repartirai pendant les vacances. La suite, on verra bien. Je n'ai pas envie de me prendre la tête pour après-demain alors que je ne sais même pas ce que sera demain. Le travail, c'est secondaire. J'ai le temps d'y penser.

— Et la petite, tu y penses ?

— Je ne fais que ça.

— Tu ne peux pas lui donner éternellement cet exemple de vie de bohème.

— Et pourquoi pas ?

— Parce que ce n'est pas la vraie vie !

— C'est quoi la vraie vie, Maman ?

– Une famille, une maison, un travail, des enfants, des amis. La vraie vie, quoi...

– J'avais tout ça. Et quand ça s'arrête ?

– Tout s'arrête un jour. Papa va mourir...

Elle n'a pas besoin d'en dire plus. Je sais son chagrin de le voir partir, de l'enterrer bientôt, la solitude qu'il y aura après, même si elle est entourée. Personne n'absorbe la tristesse qui s'installe au fond de soi. C'est une rivière souterraine, qui jaillit pour s'écouler ou qui stagne en un étang fangeux. Aucun être extérieur ne peut vider cette eau-là du fond de nous-mêmes.

On espère seulement qu'avec le temps et un peu de soleil, elle s'évaporera doucement.

Le plus difficile, c'est de croire encore au soleil.

C'est Anna-Nina, mon soleil. Mais l'étang est si grand.

Samedi 26 juin 2010
Même pas peur

– J'aimerais que tu m'apprennes tout ce que tu sais faire !

Anna-Nina m'interpelle, la bouche à moitié pleine de son dernier morceau de pain trempé dans le chocolat chaud. Notre goûter favori en rentrant de l'école.

– Tout ce que je sais faire ? C'est-à-dire ?

– La poterie, le bois, le jardinage, la cuisine et les bocaux, les confitures, écrire, chanter, jouer de la guitare, bricoler, coudre, tricoter.

– Mais moi, j'ai mis des années à apprendre tout ça.

– J'apprends vite, tu sais.

– Je sais bien, ma puce, mais ça va quand même prendre beaucoup de temps. Et si ton papa décide de ne pas rester ?

– Mais mon papa, il ne peut pas m'apprendre tout ça...

– Tu peux apprendre avec d'autres gens.

– C'est avec toi que je veux apprendre, parce que ça me plaît comment tu fais. J'aime bien t'entendre jouer, j'aime bien ce que tu écris.

– Tu as lu des choses que j'écrivais ?

– Il y a des cahiers de poésie dans la bibliothèque.

– Oh, tu as trouvé ça ?

– Oui. C'est joli.

– Lequel est ton préféré ?

– Je les aime tous. Et toi ?

– Moi, il y en a un que j'aime plus que les autres. Je te laisse deviner.

– Je veux que tu m'apprennes tout ça.

– On va faire ce qu'on peut, d'accord ? Tu veux commencer par quoi ?

– La poterie.

– D'accord. On range la table et on y va ?

Anna-Nina est une boule d'énergie et d'appétit vorace. Elle se nourrit de ce qu'elle apprend, comme si la curiosité était son pain quotidien. Elle ne se pose jamais de questions inutiles et futiles, mais s'intéresse à ce qui se passe dans la nature et l'univers. Et dans le cœur des gens aussi, je crois. Les deux domaines ne sont pas bien éloignés, en y réfléchissant. Des étoiles qui scintillent à jamais, des météorites qui s'écrasent en faisant des dégâts collatéraux, des comètes qui ne font que passer, des planètes solides et stables. Des trous noirs qui aspirent vers le fond et l'infini du mystère humain.

Nous sommes tous des petits morceaux d'univers.

Anna-Nina est une jolie petite galaxie que je n'imagine plus trop voir repartir. Ce serait une explosion terrible dans ma voûte céleste à moi.

J'essaie de ne pas y penser. Sylvie me dit toujours : « Reviens ici et maintenant. Quand tu épluches tes carottes, ne pense pas à ta vie, pense à tes carottes. »

Ça marche à peu près avec les carottes. Mais pas encore avec les autres légumes.

Nous avons bâclé la vaisselle et l'avons abandonnée sur l'égouttoir pour commencer au plus vite notre premier atelier poterie. J'ai appris quand j'étais toute petite. Comme tous les enfants, j'ai commencé par les escargots, et puis les petits animaux, et je me souviens encore du jour où j'ai eu le droit d'aller sur le tour. J'avais le sentiment que ce jour-là serait le plus beau de ma vie. Évidemment, la motte d'argile est partie dans tous les sens tant il m'était difficile de contenir cette masse soumise à la force centrifuge. Non seulement je ne savais pas comment m'y prendre, mais en plus mes mains minuscules n'avaient pas la force suffisante pour maîtriser la matière.

Cependant j'avais pu approcher le tour de l'atelier. J'étais entrée dans la cour des grands.

Quelques stages et de nombreuses années d'expérience plus tard, je vais dans mon atelier quand j'ai besoin de me vider la tête. Parce que, les mains humides posées sur l'argile froide que je sens se réchauffer au fil des tours, les yeux rivés sur ce que devient cette boule et dont le moindre soubresaut peut anéantir tout espoir de réalisation, me met dans un état de concentration tel que je suis proche de la méditation. Je ne pense plus à rien, sauf à la pièce que j'espère pouvoir cuire ensuite dans mon four à haute température.

La méditation par l'argile. Je devrais écrire un livre de développement personnel.

Et comme ça marche aussi avec la guitare ou le potager, je pourrais faire toute une collection !

Aujourd'hui, il est question que j'ouvre ma bulle à une petite fille avide de découverte et qui me regarde avec ses grands yeux, les manches retroussées jusqu'au-dessus du coude et une longue mèche de cheveux qui tombe sur son front, échappée d'une tresse qui s'est défaite dans la nuit. Je l'ai installée en face de moi devant le tour, en surélevant au maximum le siège sur lequel elle est assise. Nous avons posé une boule de terre au centre et l'avons mouillée. Je commence doucement, pour lui laisser le temps de comprendre les contraintes mécaniques. Nous tenons nos mains de part et d'autre de la boule qui s'est déjà transformée en une sorte de cheminée de refroidissement de centrale nucléaire.

– Je vais te laisser faire toute seule, maintenant. Tu peux poser ton doigt sur le bord pour voir l'impact que cela a sur la forme de ton vase. Tu veux faire un vase ?

– Non, j'aimerais faire un bol pour mon papa, pour son petit déjeuner.

– Avec une anse ?

– Non, il aime bien mettre ses mains tout autour pour les réchauffer quand la roulotte est encore froide.

– D'accord, alors maintenant que tu as la bonne hauteur, il faut plonger tes doigts au milieu pour y creuser un trou. Fais attention, c'est une étape délicate, si tu ne gardes pas la même intensité dans tes gestes, la pièce va partir n'importe comment.

Je termine seulement ma phrase que déjà le bol ne ressemble plus à rien. J'arrête le tour et j'observe Anna-Nina, dépitée devant cet avorton qui termine doucement sa valse ratée. Elle me regarde avec un petit sourire dans les yeux, comme si la déception n'avait été que furtive et passagère.

– C'est pas grave. Je refais une boule avec le reste?

J'admire cette capacité qu'ont les enfants à rebondir à partir de leurs échecs. Comme si, à l'image d'un trampoline, ils sautaient sur leurs ratages permanents. Après tout, c'est en se trompant qu'on apprend à faire juste. D'autant plus juste qu'on n'est pas encombré d'un besoin de perfection.

Anna-Nina s'est mise debout sur sa chaise pour faire peser le poids de son corps, pourtant dérisoire, sur la masse anarchique qu'elle essaie de transformer en boule ronde et lisse. Je la regarde agir avec plaisir et application, sa mèche tombante ondulant au rythme de ses bras.

– Je peux recommencer toute seule?

– Bien sûr.

– Tu m'aideras si je n'y arrive pas?

– Tu y arriveras. Et sinon, tu recommenceras. Nous avons toute la journée, toute la soirée même. Demain, nous pouvons dormir.

– Il rentre quand, papa?

– Je ne sais pas. Peut-être dimanche?

J'aime ces enfants qui se lancent pour faire seuls. C'est à mes yeux le meilleur moyen d'apprendre. Le fait d'entreprendre imprime plus vite le mode d'emploi que de simplement regarder. Je lui demande si, tant qu'à faire, je peux aller chercher les corrections du jour pour m'avancer dans mon travail. Elle me regarde sans même me répondre. Ses yeux valent un oui. Elle a cette capacité à parler avec le regard que peu de gens ont. Elle doit beaucoup communiquer ainsi avec son père, lui qui ne parle pas beaucoup.

J'aimerais qu'il me manque et ce n'est pas le cas. Sauf son corps, pour combler l'absence de chaleur dont souffre le mien. Je sais pourquoi il ne me manque pas. Je sais ce que cela veut dire. Et je suis triste de m'en rendre compte. Je ne pourrai donc jamais admettre qu'il peut être bon d'aimer quelqu'un et que cela n'enlève rien à la liberté, ou du moins pas suffisamment pour y renoncer ? Je ne pourrai donc jamais me délester de ce sentiment d'oppression à l'idée d'être deux ? Me laisser aller à supporter l'absence de l'autre et me rendre compte que ce n'est pas grave ?

J'avale un grand verre d'eau fraîche à la cuisine, avant d'attraper ma sacoche de classe et de retourner à l'atelier. L'endroit est quand même trop dangereux pour y laisser une petite fille de sept ans seule, aussi mûre soit-elle.

Elle a déjà recommencé trois fois la boule et son front est désormais dégagé après le passage d'une main argileuse et collante qui a eu raison de la mèche rebelle en la plaquant sur la tête avec un gel fixant minéral et brun. Il lui faudra un bon bain ce soir, ce qu'elle acceptera avec plaisir.

Je corrige le travail de ce matin : les enfants devaient répondre, dans le livret, à un certain nombre de questions de la vie de tous les jours. J'aime ce moment de correction, car je suis seule à profiter, en avant-première, des pépites régulières que m'offrent ces gamins, en toute innocence. Aujourd'hui, la question la plus intéressante de la série est probablement celle sur les peurs où ils doivent compléter : « J'ai peur de… »

Quand j'achève la lecture des réponses d'Anna-Nina, je la regarde un instant travailler sur son bol en terre, et je pense à sa vie passée, présente, future, à ce qui fait qu'elle est là, dans mon atelier, à ce que l'avenir lui réserve, à ce que son père lui a transmis, à ce que les épreuves lui ont appris, à ce qui fait qu'elle a répondu aujourd'hui : « J'ai peur de… rien. »

Je n'aurais même pas eu assez de place entre les lignes pour répondre. Moi, j'ai peur des araignées, des rats, des cloportes, des gens qui y ressemblent. J'ai peur de me tromper, peur de faire le mauvais choix, peur de faire du mal aux autres, et qu'ils m'en fassent, peur de ne pas être à la hauteur, qu'on me reproche des choses, peur qu'on ne m'aime pas, mais peur d'aimer, de m'attacher, et d'étouffer. Peur de perdre. Peur d'être seule. Trop seule.

Anna-Nina a sorti sa langue, signe d'intense concentration, et elle a lâché le bol, qui tourne à grande vitesse, dans une régularité presque parfaite. Il n'est pas parti en vrille. Les bords semblent un peu épais, mais c'est sa première pièce au tour, et en cela, le résultat est magnifique.

Quand le tour s'arrête, je lui tends le fil de fer, en lui expliquant comment le plaquer le long de la surface dure, en revenant vers soi, pour passer sous le bol et le détacher ainsi de sa base. Elle y arrive parfaitement tant la lenteur qu'elle imprime au mouvement lui permet d'être précise. Elle saisit alors la pièce, et me la montre avec une fierté manifeste.

– Tu veux le griffer, ton bol ?

– Le griffer ?

– Mettre ton nom, ta griffe, en dessous ?

– Ah oui alors !

Je lui donne donc le petit stylet que j'utilise pour mettre le V caractéristique sous mes réalisations à moi. Elle s'applique à graver «Nanie», tout en délicatesse pour ne pas abîmer la pièce encore un peu molle.

– Nous la cuirons demain.

– On pourra mettre de l'émail ?

– Bien sûr ! Tu choisiras la couleur. C'est quoi la couleur préférée de ton papa ?

– Le vert. Comme les yeux de maman.

– C'est une jolie couleur, celle de l'espoir.

– Mon papa, il n'en a pas.

– Pourquoi tu dis ça ?

– Parce que ça se voit, non ?

– Il est un peu mélancolique, mais c'est normal, tu ne crois pas ?

– Non. On a tout pour être heureux.

– Il n'a plus sa femme.

– Mais il n'y changera rien, à ça. Et d'être triste ne la fera pas revenir.

– Je pense qu'il se pose aussi beaucoup de questions sur votre vie, non ?

– Peut-être.

– Ce n'est pas facile de s'occuper seul d'un enfant quand on veut le meilleur pour lui.

– Moi je sais ce qui est le meilleur pour moi.

– C'est quoi ?

– De rester ici. Et qu'il soit heureux comme moi, d'être là.

– Ton papa sera heureux un jour, j'en suis sûre. Il va

déjà être heureux que tu lui offres ce bol ! Je pense qu'il va revenir dimanche.

– Il te l'a dit ? Ça veut dire que son pépé est mort ?

– Non, je ne crois pas. Il t'expliquera tout ça quand il reviendra.

Frotter sur ses souvenirs

Les petits cailloux blancs commencent à meurtrir mes genoux. Mais je frotterai ma peau en me relevant et la douloureuse trace s'atténuera. J'aimerais pouvoir frotter mes souvenirs et obtenir le même résultat.

Comme elle est belle. Je la regarde, dans ce médaillon en porcelaine qui affronte les saisons depuis sept ans et je me dis que de nous deux je suis le seul à avoir vieilli.

Mes mains reposent sur le bord de la pierre, chauffée par le soleil de l'après-midi. Il y a des taches vertes par endroits. Pierre tombale amasse la mousse. Je m'étais disputé avec ma mère, qui voulait m'imposer de choisir du marbre, parce que c'est plus facile à entretenir. Trop sous le choc, mes beaux-parents n'avaient même pas d'avis. Et moi, je me foutais de l'entretien. Pour le regard des autres ? Je me foutais aussi du regard des autres. Le marbre, c'est froid. Moi je voulais une pierre chaude et vivante. Hélène avait beaucoup aimé Collonge-la-Rouge, notre dernier lieu de vacances, alors qu'Anna-Nina n'était encore qu'un petit haricot dans une minuscule poche de liquide. J'ai fait venir une pierre de là-bas. Quelques années plus tard, j'ai pris conscience de la symbolique de cette pierre. Ma femme, morte de s'être vidée de son sang, reposait sous une pierre rouge.

Je me fous toujours de l'entretien et du regard des autres. Elle vieillit joliment dans l'ambiance d'une banlieue parisienne tranquille. Et la tombe continue un peu à vivre, comme si c'était à la place d'Hélène.

J'y ai déposé un bouquet de renoncules. Ses fleurs préférées. Il y a une petite coccinelle qui se promène sur une des tiges. Et une abeille qui vient de repartir, les pattes chargées de pollen.

La vie qui continue, même sur les pierres mortes qui recouvrent des corps inertes.

Et ma vie à moi ?

Je suis seul devant cette tombe, les genoux engourdis, à me demander quelle direction je prendrai en sortant de ce cimetière. Je suis seul parce que mes parents voudraient que je revienne, ma fille voudrait que je reste avec elle là-bas, mes rares amis ne se prononcent pas. Je suis seul à décider, je tends l'oreille vers le grès rouge en espérant qu'il m'enverra un signe. Qu'il me dira. Qu'il me hurlera quoi faire.

Et je n'entends rien.

Je ne sais même pas ce que je préférerais entendre.

Ma vision s'est brouillée. Quelques résurgences d'eau stagnante. Et je n'aperçois d'abord qu'une tache jaune dans mon champ visuel. Alors, à la manière d'un gosse mal élevé, je m'essuie grossièrement du revers de la manche et je distingue un papillon. Un citron. D'un jaune absolu. Il tranche sur le rouge alors qu'il remonte vers le médaillon.

Il en fait tout le tour, peut-être attiré par les couleurs de la photo. Il ouvre ensuite ses ailes et reste ainsi immobile un long moment. Il recouvre le visage d'Hélène.

Peut-être qu'il se chauffe au soleil, ou qu'il se repose.

Ou qu'il réfléchit s'il va aller à droite ou à gauche en partant.

Je ne pense plus à rien. Je le regarde et j'attends qu'il s'envole. C'est peut-être lui qui parlera.

Et puis soudain, le visage souriant de ma femme réapparaît et la tache jaune est déjà dans le ciel. J'observe sa trajectoire, aléatoire, saccadée, totalement irrégulière. Un papillon ne se déplace jamais en ligne droite. Probablement parce qu'il ne cherche pas à aller précisément quelque part.

Voilà peut-être la réponse.

Un soir d'orage 1944
N'en plus jamais douter

Il avait fallu que cela arrive un soir d'orage.

Le garçon s'assit à côté d'elle, nerveux et inquiet. Il avait couru à la ferme, sous la pluie et les éclairs, pour aller chercher de l'aide, et était revenu à toutes jambes pour ne pas laisser Suzanne seule.

Elle soufflait calmement. Son ventre se tordait de façon irrégulière en lui laissant encore quelque répit, mais c'était le bon jour. Le liquide blanchâtre qui avait coulé le long de ses jambes, alors qu'elle se soulageait dans la petite cabane au fond de la cour, le confirmait.

Ils vivaient dans cette grange depuis leur arrivée. Il y faisait bon et la présence des animaux en dessous chauffait le grenier à foin où ils s'étaient aménagé un petit espace pour chacun, séparés par une grande toile de lin tendue. Et parfois, le seul lin qui les séparait pour dormir était celui de leurs vêtements. Ils en avaient besoin, certains soirs, quand des coups de feu se faisaient entendre au loin, ou que le cœur pensait trop à ceux qui manquaient. Le garçon n'avait aucune culpabilité à ne pas être triste d'être loin de ses parents, ils lui en avaient assez fait baver pour qu'il cesse de les aimer vers l'âge de douze ans, mais ses petites sœurs...

Suzanne pensait à son homme chaque jour que Dieu lui infligeait de vivre en son absence. Elle regardait la photo, l'embrassait, avant de la ranger dans la petite boîte et de faire une prière en serrant les mains autour de son chapelet en bois et en perles, la tête inclinée vers le cœur. Prier pour qu'il revienne, prier pour qu'ils ne le fassent pas trop souffrir, prier pour que son petit naisse dans de bonnes conditions et qu'il ou elle connaisse un jour son père. Prier était bien la seule chose qu'elle pouvait encore faire.

Et là encore, entre deux contractions, Suzanne priait. Pour survivre à cette épreuve qui l'attendait, et qui, encore trop souvent, prenait la vie aux femmes qui la donnaient. Surtout pendant la guerre, dans ce lieu reculé où aucune sage-femme ne viendrait jamais. Encore moins un soir d'orage.

La femme arriva avec quelques linges propres. Elle avait eu du mal à grimper à l'échelle, les jambes emmêlées dans sa jupe et le garçon, après l'avoir débarrassée des draps, l'avait aidée à franchir les derniers barreaux qui dépassaient du plancher. Elle sourit à Suzanne. Probablement pour la rassurer. Peut-être aussi parce qu'elle se réjouissait d'une naissance, même si cela compliquerait leur vie. Un tout-petit dans des conditions pareilles, cela n'allait pas être facile. Oui, mais un enfant, un bébé, quelques kilos de chair innocente, c'était une lumière au milieu de la noirceur de la guerre. Alors elle se réjouissait.

L'adolescent s'était mis à genoux et faisait la seule

chose qu'il pouvait faire pour la femme qu'il avait sauvée il y avait quelques semaines. Lui tenir la main.

La fermière leva la robe de Suzanne pour dégager son sexe rouge et gonflé qui se préparait à s'ouvrir. Elle trempa deux doigts dans son vagin et inclina son avant-bras pour aller un peu plus en profondeur.

— Je sens quelque chose de très dur et de rond, ça doit être la tête. C'est une bonne nouvelle. Pour le reste, je ne suis pas sage-femme, on verra bien.

— Tu avais une sage-femme pour tes accouchements ? demanda Suzanne dans un souffle court.

— Oui, les trois premières fois. La quatrième, elle n'a pas eu le temps de venir. Ça va aller. Je sens bien la tête, ça doit faire un moment que tu souffres.

— Ça fait quelques heures.

— Je vais retourner à la maison et faire chauffer de l'eau. Mon mari m'aidera à la porter quand elle sera à bonne température.

— Et si ça vient avant ?

— Ça ne viendra pas avant. C'est ton premier, non ? Tu vas encore souffrir un moment.

— Je fais quoi en attendant que vous reveniez ? demanda le jeune homme, soucieux.

— Continue à lui tenir la main, c'est déjà bien.

À chaque période où le ventre retrouvait un peu de souplesse, Suzanne venait poser sa tête dans le creux de l'épaule du garçon, qui lui caressait les cheveux en respirant au même rythme qu'elle. Il avait une douleur terrible dans le genou à cause de sa jambe pliée, sur laquelle le poids de leurs deux corps reposait, mais il n'osait pas bouger. Il pouvait bien supporter le mal, comme Suzanne.

Cela devait faire un bon quart d'heure que la fermière était partie quand Suzanne gémit un peu plus fort au moment de la contraction suivante.

– Je sens que ça pousse.

– Comment ça, ça pousse ? demanda-t-il, espérant ne pas comprendre.

– Le bébé arrive, je ne peux pas l'empêcher, il sort ! IL SORT !

– Je vais chercher Germaine !

– Non, ne pars pas, ne me laisse pas, pas maintenant, il arrive.

– GERMAINE ! GERMAINE !

Il cria aussi fort qu'il pouvait, sans lâcher la main de Suzanne, mais avec la pluie battante et le grondement régulier du tonnerre, il pouvait toujours crier, le son ne franchirait pas les trente mètres qui séparaient la grange de la maison d'habitation.

– Il arrive, il arrive, je le sens.

Le garçon lâcha la main de Suzanne et alla à l'endroit même où la femme s'était installée tout à l'heure pour l'examiner. Il souleva la robe en tremblant et vit, entre les deux jambes écartées et sanguinolentes de Suzanne, une grosse masse noire qui étirait tout autour d'elle une muqueuse presque blanche tant elle était proche de la rupture. Suzanne hurlait que ça la brûlait. Elle le suppliait de l'aider, de la libérer de cette douleur, et lui était immobile, hypnotisé par cette masse chevelue qui progressait, millimètre par millimètre, en écartant les chairs sans vergogne. Il fallait bien se frayer un passage. Il fallait bien sortir. La vie sommait l'enfant d'avancer vers la lumière, et peu importait si la femme souffrait, le mécanisme était engagé, aucun retour en arrière possible. Dans la fascination de l'instant, il continuait à appeler Germaine, mais il chuchotait maintenant. Il répétait inlassablement le prénom de la femme qui aurait dû être là, à sa place, comme pour l'implorer de venir.

Il sursauta quand la tête sortit brutalement. Un liquide rosé jaillit et alla mouiller le drap qu'on avait installé sous ses fesses. Suzanne eut à peine le temps de soupirer, incroyablement soulagée par la libération que cette tête expulsée procurait à son sexe distendu. Une nouvelle contraction la submergeait déjà et la tête de l'enfant tourna seule d'un quart de tour avant que le garçon ne vît apparaître une masse qu'il pensa être l'épaule. Il eut alors le réflexe de poser ses mains en cuvette en dessous du bébé, afin qu'il ne tombe pas sur les draps. Il était chaud et visqueux. Une dernière poussée, plus forte que les précédentes, expulsa rapidement le reste du corps et l'adolescent eut l'impression qu'il allait lui glisser entre les doigts. Du liquide jaillit encore des profondeurs de la femme. Le drap était mouillé et sale. D'un geste délicat, il saisit un autre drap propre qu'il utilisa pour frictionner le bébé qui ne bougeait pas.

– Pourquoi il ne pleure pas ?

– Je sais pas, il crache, je crois.

– Il est vivant ?

C'est le cri rauque et encombré de l'enfant qui répondit

à sa mère. Un hurlement déterminé qui envoyait à la face du monde son arrivée victorieuse.

– C'est quoi ? demanda-t-elle.

– Je crois que c'est une fille, répondit-il en vérifiant la petite fente entre les jambes potelées.

Il prit alors un troisième drap pour la couvrir et déposa la petite sur le ventre de sa mère, qui avait ouvert son corsage, libérant ses seins lourds, déjà préparés à nourrir l'enfant. C'est à ce moment qu'il entendit la porte de la grange grincer et les deux voix approcher en demandant si tout allait bien. À nouveau, le cri strident d'un enfant bien décidé à en découdre avec la vie répondit sans avoir besoin du moindre mot pour dire que oui, ça allait.

Le garçon s'empressa d'aider l'homme qui portait le seau d'eau brûlante sur l'échelle et il fut soulagé de voir sa femme prendre la relève pour les soins à la mère et à l'enfant. Il s'éloigna de quelques mètres, s'installa derrière le rideau de lin et se laissa tomber dans le foin tassé, le visage aussi blanc que le linge qui en faisait sa couche. Pour la première fois depuis qu'il avait recueilli Suzanne dans la rue, devant la Kommandantur, il pleura à chaudes larmes. C'était trop d'émotions pour un gamin de son âge. Il pleurait de joie que cela se soit bien passé, de peur de l'avenir, de plaisir de voir le sourire apaisé de Suzanne sur son visage, de déchirement d'être loin de ses petites sœurs. Il pleurait d'être seul. Des gens allaient et venaient dans sa vie, mais il se sentait profondément seul. Ce bébé, c'était celui de Léon, que Suzanne attendait. Et lui, il était là, avec elle, pour elle, avec elles, maintenant, loin de sa famille, de sa maison, de sa vie d'avant, et il était seul. Seul et paumé, sans savoir où la vie allait désormais le mener. Seul au milieu des ravages de la guerre à ne rien pouvoir construire comme avenir.

Le fermier s'approcha du garçon et lui tendit une bouteille, en lui proposant de boire un coup. Il la saisit et but à pleines gorgées avant de se rendre compte que c'était de la goutte. Une sensation de chaleur l'envahit subitement, et il s'écroula sur le dos, les yeux fermés et, finalement, le cœur joyeux. C'était beau de voir un bébé glisser d'entre les jambes de sa mère à la rencontre du monde et annoncer fièrement à l'humanité, en dépliant puissamment ses poumons, qu'il faudrait désormais tenir compte de sa présence.

Après quelques instants, il retourna auprès de la jeune accouchée. Germaine terminait d'enlever les draps souillés et les restes d'entrailles, qui partiraient probablement aux cochons, pour ne rien gâcher. Il n'osait pas avancer vers Suzanne. C'est elle qui lui fit signe de venir. La petite était emmitouflée dans une couverture de laine et, la bouche grande ouverte, elle tétait avec ardeur le mamelon foncé de sa mère, en bougeant ses longs petits doigts sur la peau nacrée du sein.

Il sourit à Suzanne et obtint en retour un sourire comme il n'en avait jamais vu sur le visage d'une femme. Il y avait là un mélange de douceur, de victoire, de rage et de revanche, un apaisement fatigué et un espoir non dissimulé. Et de l'amour, beaucoup d'amour dans les yeux de cette femme qui avait failli mourir pour un homme dans l'eau sale d'une cave crasseuse. Elle pouvait en avoir dans les yeux, de la revanche acharnée, parce que aujourd'hui, elle tenait un bébé bien vivant dans ses bras, et si son père ne revenait pas, l'enfant serait le témoin vivant de leur amour.

– Je vais l'appeler Léonie.

– C'est un joli prénom.

– Son père l'aimerait, j'en suis sûre.

Le jeune homme, c'est Suzanne qu'il aimait. Il le sut à cet instant précis.

Et il n'en douta plus jamais.

Samedi 26 juin 2010
Inséparable velcro

Anna-Nina vient de s'endormir.

Samedi soir.

Gustave est chez lui. Je sais qu'il lit.

Croquette ronfle paisiblement sur le tapis devant la chambre de la petite, à l'étage.

Je suis sur le canapé, un chat qui déborde sur chaque cuisse. Et deux mains pour les caresser. Je regarde dans le vide. Moi aussi je vais lire. Mais j'aime m'arrêter. Ne rien faire. Ronronner avec eux. Au moins quelques minutes. C'est tout ce que mon cerveau m'accorde, avant de me rappeler ce que j'espère encore faire avant de me coucher.

Mon téléphone vibre :

– Je rentre demain. Dans l'après-midi. Pouvez-vous me dire s'il y aura un TER pour me ramener jusqu'à la petite gare où vous m'avez déposé ?

– Bonsoir.

– Pardon, bonsoir.

– Nous viendrons vous chercher à la gare. Ils annoncent

214

grand soleil, j'emmènerai Anna-Nina manger une glace à la Petite France à Strasbourg.

– Mon train arrive à 14 h 59.

– Elle se réjouit de vous revoir.

– Moi aussi. Bonne soirée, à demain, merci.

– Bon voyage.

Concis. Précis. Simple. Froid. Proche des températures négatives.

J'attends quoi d'autre ?

Il n'a pas l'air très joyeux. L'a-t-il été véritablement depuis qu'il est arrivé ici ? Anna-Nina a raison, il ne respire pas franchement l'espoir. La mélancolie prend toute la place. J'ai parfois envie de le secouer pour qu'il se réveille et qu'il cesse d'infliger son humeur maussade à sa fille. Mais ça leur appartient. Il faut que j'arrête de me mêler de la vie des autres. Je ferais mieux de m'occuper de la mienne. Voilà que je commence à réfléchir comme si c'était Gaël qui me parlait.

Gaël est une famille à lui tout seul : c'est mon âme sœur, mon âme frère. Mon père et ma mère, parfois. Ceux en tout cas que je n'ai pas puisque les miens, même s'ils ont toujours subvenu à mes besoins, ne se sont jamais vraiment intéressés à ce que je ressentais. Ils ont fait ce qu'ils ont pu avec leur propre histoire de couple chaotique et compliquée, et ma naissance est l'illustration de leur tentative ratée pour recoller les morceaux.

Avec Gaël, on se connaît depuis le lycée et on ne s'est jamais quittés. Aux gens qui pensent que l'amitié homme-femme ne peut pas exister sans un soupçon d'attirance physique, je réponds « pour nous, si ! ». Je n'ai jamais eu envie de lui, et inversement. Ou alors il m'a menti. Oh ça, de la tendresse, on en a à revendre. J'aime me réfugier dans ses bras, et il aime se refermer sur moi comme la plante carnivore sur une mouche. Parfois, je n'ai plus que les pattes qui dépassent. Mais je me sens bien au chaud au creux de lui. Il est ma couette, mon feu de cheminée, mon soleil de printemps, mon gros pull de laine. Il me contient, me retient, me soutient, me tient. Et je sais qu'il ressent la même chose. En dehors de l'enveloppe, parce que moi, avec mes petits bras, j'arrive à peine à en faire le tour. Mais il n'empêche : ce qui compte, c'est que quand on enlace quelqu'un, on en profite généralement soi-même.

Gaël et moi, c'est du velcro. Je suis le côté grattant, il est le côté doux. Et c'est pour ça qu'on s'est attachés l'un à l'autre. Allez donc nous séparer, le bruit sera tellement désagréable, la résistance à ce point efficace que vous n'y arriverez pas. De toute façon, une face de velcro sans l'autre, cela ne sert à rien.

Nous n'avons pourtant jamais voulu vivre ensemble. Ce n'est même pas envisageable, puisqu'il n'y a pas d'attirance. Alors nous avons chacun fait notre vie, en prévenant les éventuels pièces rapportées qu'il faudrait tenir compte du velcro.

Je m'entends bien avec Geneviève. Surtout depuis le jour où elle a enfin compris que je n'étais pas dangereuse. Ça a mis du temps, mais quand c'est arrivé enfin, ça a été un poids en moins, un soulagement énorme. Gaël est plus méfiant avec mes aventures à moi, qui ne sont que des aventures, contrairement à la stabilité et la force de son couple. Probablement parce qu'il s'érige en gardien du temple, et veille à ce que personne ne vienne le profaner.

S'il savait comment Éric me profane ! Suis-je bête, il sait ! Je lui dis tout. Et il ne dit rien. Ah si. Il s'est exclamé qu'Éric était peut-être l'homme de ma vie.

Il est l'homme de sa fille et de feu sa femme. Je veux un homme-de-ma-vie joyeux, moi. Il n'est vraiment vivant que quand il fait l'amour. Mais on ne peut pas passer sa vie à faire l'amour. Et s'éteindre entre les étincelles. Je veux du feu, des flammes, du champagne qui pétille, de la chaleur et des bulles. Le plus souvent possible.

Mon téléphone vibre à nouveau :

– Arrête de penser à lui et dis-moi que je peux t'appeler.

Et zut. Quand Gaël me demande s'il peut m'appeler tard, c'est qu'il va mal. Ce n'est pas ce soir que je vais lire, et il y a un des deux chats qui va râler parce que la main qui tient le téléphone ne pourra plus le caresser. J'attrape donc mon kit mains libres et je lui réponds que je suis prête, les écouteurs dans les oreilles et une main sur chaque félin pour leur refiler sa peine, en bonne conductrice d'émotions noires que je suis. Juste conductrice. Hors de question d'en garder pour moi. Mes chats, eux, n'auront aucun mal à aller s'en débarrasser dans la grange en coursant les souris.

– Ça va ?

– Ben non, sinon je ne foutrais pas en l'air ton samedi soir, me répond-il sur le ton de l'évidence.

– C'est celui des chats qui est compromis, moi, je me contente de transmettre.

– Transmettre quoi ?

– Tout ce que tu vas me dire.

– À qui ?

– Aux chats. Absorbants haute densité des chagrins humains. Je les ai choisis pour ça. C'est contractuel entre nous. Ils ne vont pas manger et se prélasser sur mon canapé à l'œil, non plus. Tu peux y aller, je suis connectée.

– T'es une grosse folle !

– Je sais, mais c'est aussi pour ça que tu m'aimes. Allez raconte.

– Il n'y a rien de plus à dire. Statu quo. Silence radio. Et moi, j'attends bêtement que les choses redeviennent comme avant.

– Au moins, te concernant, tu es perspicace. Bêtement. C'est le mot. Arrête donc tout ça.

– Pourquoi je n'y arrive pas ?

– Parce que tu l'aimes. Ou tu ne supportes pas qu'elle te délaisse.

– Les deux sont possibles ?

– Bien sûr.

– Les deux peuvent guérir ?

– Évidemment ! Avec un peu de volonté !

– J'ai toujours l'espoir qu'elle redevienne celle que j'ai rencontrée comme une évidence.

– Arrête d'espérer. Comme ça, tu ne seras pas déçu.

– Mais sans espoir la vie est triste.

– Oui, mais elle est plus simple. Il faut savoir ce que tu veux.

– Et sans amour ?

– Ah ça, c'est pas possible. On ne peut pas vivre sans

amour. Mais on peut vivre avec un seul grand amour. Tu n'as pas besoin d'en avoir deux pour te remplir.

– Et si Geneviève m'abandonnait ?

– Pourquoi voudrais-tu qu'elle t'abandonne ?

– Parce que je me détournerais d'elle ?

– Gaël, tu es en train de te détourner d'elle pour assurer tes arrières au cas où elle t'abandonnerait parce que tu t'es détourné d'elle ? Ce coup-ci, j'ai mal à la tête !

– Moi aussi. Tu m'embrouilles !

– Épluche donc tes carottes !

– Quelles carottes ?

– Quand tu épluches des carottes, ne pense pas au reste. Ici et maintenant. Tu épluches tes carottes, point ! Quand tu es avec Geneviève, pense à Geneviève. Quand tu es à l'école, pense à tes élèves. Quand tu es sur la route, pense à la route. Et comme tu ne vois plus Stéphanie, tu ne penseras plus à elle. Et n'oublie pas de penser à moi.

– T'es ma carotte préférée !

– C'est le plus beau compliment qu'on m'ait jamais fait.

– Mais tu n'as jamais voulu que je t'épluche !

– Toi non plus ! De toute façon, tu m'aurais saoulée au bout de trois jours de vie commune.

– Je serais parti au deuxième !

– Je vais aller me coucher, tu m'épuises !

– La carotte est cuite ? Moi, j'en ai gros sur la patate. On fait une soupe ?

– Si tu veux, mon chou !

– Et les chats, comment ça va ?

– Ils flottent dans les airs en lévitation au-dessus du divan tellement ils sont gonflés de tes états d'âme.

– Des chats qui flottent dans les airs après qu'une carotte cuite les a caressés en écoutant une grosse patate se plaindre, il se passe de drôles de choses chez toi.

– Dire que je m'apprêtais à relire *Madame Bovary*.

– Dis-moi merci ! Tu t'es moins ennuyé avec moi !

Dimanche 27 juin 2010
Le malabar rose

– Maman, je ne peux pas te répondre. Je fais de mon mieux. C'est ma vie.

– C'est celle de la petite aussi.

– Justement. J'essaie de faire au mieux pour elle.

– Ce serait peut-être le moment de revenir, non ?

– On en a déjà parlé. Je ne reviendrai pas à Paris.

– En banlieue ?

– Je ne peux plus, Maman. Je ne peux plus vivre cette vie-là.

– Et la petite, elle a droit à une vie normale, non ?

– Elle est heureuse.

– Jusqu'à quand ?

– Nous en reparlerons. Je vais rater mon train.

– Embrasse-la. Vous revenez cet été ?

– Je te dirai.

Même vide, le RER ne me manque pas. Le dimanche matin, il transporte ceux qui ont la malchance de travailler ce jour-là, et des zonards, reliquat des errances du samedi soir. C'est différent de la semaine, mais ce n'est pas mieux. Je l'ai assez pris il y a quelques années pour ne rien en regretter. C'est lui qui m'a rendu claustrophobe. Ces quais bondés à huit heures du matin, où les gens entrent par vagues, en espérant que leur sac ne restera pas coincé dans les portes quand elles se refermeront sur la foule comme une tenaille sur un fil de fer. Un bout dans le train, l'autre sur le quai, coupe nette, en attendant le suivant, pour être cisaillé à nouveau, sans trop savoir à quel endroit et de quel côté on tombera. Se retrouver collé à ses voisins, quels que soient leur gabarit, leur haleine ou leurs odeurs corporelles. Espérer qu'à la station où l'on descend, on arrivera à se frayer un chemin jusqu'aux portes avant la grande tenaille. Ne pas penser au risque d'attentat. Ni à celui d'être témoin d'un viol ou d'une agression.

Sentir surtout cette ambiance lourde, pesante, de gens qui se côtoient de si près sans avoir rien à se dire. Même avec nos amis les plus proches, on ne vit jamais cette proximité dérangeante. Intrusion au-delà du cercle de sécurité de notre intimité. Je n'arriverais plus à respirer. Je crois que je préférerais m'acheter un vélo et faire une heure de route pour aller à mon travail. Après la vie de bohème, la liberté absolue, le calme incomparable et la solitude heureuse, certaines façons de vivre deviennent insupportables.

Ma mère ne comprend pas. Elle ne comprendra jamais. Certes, la petite lui manque, mais je ne peux pas.

Pépé est mort hier. Je ne voulais pas rester pour l'enterrement. Je voulais le revoir une dernière fois, les yeux dans les yeux, mais pour le reste… Je préfère retourner auprès de ma fille. Je ne me fais pas de souci, elle est entre de bonnes mains, mais elle me manque terriblement.

Le métro me recrache gare de l'Est.

Mon demi-litre de café avalé ce matin, pour faire passer les croissants que Maman avait cuisinés avec amour, donc sans option de refus possible, et mon aversion pour les toilettes de TGV – sûrement un traumatisme de l'enfance – m'incitent à profiter des toilettes publiques. Un coin sombre du sous-sol affiche le prix. Un euro pour avoir le droit de pisser. Quand je pense que cela fait sept ans que je ne demande à personne l'autorisation d'aller me soulager dans la forêt ou au bord d'un champ. J'introduis ma pièce et je franchis le tourniquet en métal, qui en profite pour me tendre un ticket. 50 centimes de réduction sur mon prochain passage ici. Il y a même des programmes de fidélité pour ça. Le monde devient dingue. La cuvette rotative autonettoyante rétractable est un joyau de modernité, qui laisse ainsi plus de temps à madame pipi pour contrôler que tout le monde a bien payé la visite. A-t-elle gagné en noblesse en gueulant sur les gens plutôt qu'en lavant derrière eux ? J'ai un sombre doute.

Je me suis assis sur un banc, en attendant que mon TGV soit annoncé. J'observe les gens qui passent devant moi. Certains flânent, d'autres courent. Certains se quittent quand d'autres se retrouvent. Des valises énormes sur roulettes, des sacs de militaires, des bébés dans des poussettes, des vieux, des jeunes, des grands, des petits. Et personne ne se regarde. Personne ne se dit bonjour. Dans le village de Valentine, si on se croise dans la rue, on se salue. C'est le contraire qui n'est pas normal. Deux vies, deux mondes. Et ma mère ne comprend pas que je préfère la campagne sauvage avec ma fille, ma roulotte et mes chevaux à la ville grouillante et anonyme. Plus il y a de monde, moins il y a de chaleur humaine.

Dans mon champ de vision, je vois soudain une masse rose s'écraser à un mètre de mes pieds. J'opte pour un gros malabar qu'un enfant aura bêtement balancé par-dessus son épaule. Mais théoriquement, un malabar ne bouge pas. Je m'approche donc, et je constate que c'est un petit oisillon aussi déplumé qu'un nouveau-né qui vient au monde. Je lève les yeux et je comprends qu'il n'avait aucune chance de s'en sortir. Les nids sont à des dizaines de mètres au-dessus du sol, sous la verrière de la gare. Il n'aura volé qu'une fois…

Je suis un homme d'âge à peu près mûr, avec des poils sur le torse et ailleurs, je suis père d'une gamine de sept ans, j'ai affronté des tempêtes et des orages dans ma vie, au propre comme au figuré, et j'ai envie de pleurer de voir cet oisillon en train de mourir sur le sol d'une gare où personne ne voit personne. Je suis le seul témoin de son agonie et je ne peux rien faire.

Je pense à Anna-Nina. Au moins, elle n'est pas tombée du nid. Je l'ai rattrapée comme j'ai pu. Mais je n'ai pas sauvé sa mère.

Le malabar a arrêté de bouger, et mon train est affiché sur les écrans bleus. Je me lève à la hâte pour rejoindre le quai, en slalomant entre les voyageurs. Je crois que je fais une overdose de foule, trop de monde, partout, tout le temps, trop pressé, trop stressé. J'espère qu'il n'y aura personne dans le wagon.

Rêve !

Le clic d'une ceinture de sécurité

Dernier jour, dernières minutes, derniers instants seule avec la petite. Nous sommes dans la grande verrière de la gare de Strasbourg. Le train d'Éric est annoncé dans dix minutes. Je respire comme je peux. Anna-Nina sautille d'impatience. Elle est touchante. Ce matin, elle dormait encore quand je me suis levée. J'ai déjeuné avec Gustave, et j'ai pris le temps de lire le journal du matin. Je ne l'ai pas entendue descendre les escaliers et ce sont les *plic plic* de ses pieds nus sur le carrelage qui m'ont fait lever les yeux. Elle s'est approchée de moi en souriant, le visage chiffonné recouvert de sa longue mèche de cheveux échappée des tresses, qu'elle a négligemment rejetée en arrière du plat de la main. Elle a fait le tour de la table pour venir m'embrasser, en m'enveloppant de ses bras encore chauds de la couette.

– C'est aujourd'hui que Papa rentre...

Elle a pris le temps de déjeuner en trempant sa grosse tartine dans le chocolat chaud, et en essuyant régulièrement le lait qui coulait le long de son menton. Je la regardais en silence, un léger sourire sur les lèvres. Un sourire triste, à me dire que j'aimerais que le temps s'arrête là et que plus rien ne change, mais qu'au lieu de cela, il file à toute allure, bouscule sans cesse les repères que l'on s'était sagement fixés par sécurité, il va contre notre volonté et on n'y peut rien.

Comme je voudrais que son père revienne transformé de son séjour à Paris, qu'il soit ouvert, souriant, joyeux, tendre, dynamique, motivé par les mêmes choses que moi. Mais j'ai un sombre doute.

Parfois je regrette l'orage, et la seconde d'après, je remercie le ciel de s'être déchaîné sur leur roulotte ce soir-là, tout près de chez moi.

Un peu plus tard, après nous être préparées, en particulier en défaisant ses tresses, ce qui lui a valu une chevelure incroyablement volumineuse, nous sommes parties en voiture à Strasbourg, pour profiter un peu de la ville sous ce grand soleil de début d'été. Anna-Nina porte la petite robe que je lui ai achetée la semaine dernière. Elle l'adore, parce que quand elle tourne sur elle-même, le bas fait comme une ombrelle.

Elle a opté pour un tour en bateau-mouche, au milieu des touristes allemands et japonais, et nous nous sommes installées sur une terrasse pour prendre un déjeuner léger et une énorme glace au dessert. Elle a d'abord savouré une partie de la chantilly avec son doigt, puis elle a mélangé les deux parfums choisis pour en faire une préparation onctueuse qu'elle a dégustée jusqu'aux dernières molécules collées à la coupe en verre.

Comme nous avions le temps, nous avons rejoint la gare à pied, puisque ma voiture y était déjà garée. De la place Kléber, nous avons fait un détour par la Petite France, où Anna-Nina a coursé les pigeons avec espièglerie. J'aime ce quartier. Les maisons alsaciennes, les couleurs, l'eau, les ponts en bois, les fleurs dans les balconnières, la lumière, la douceur de vivre. J'y logeais pendant mes études. Certes sous les toits, parce que les loyers étaient chers, mais j'aimais cette indépendance dans un lieu où chaque matin j'avais plaisir à sortir dans la rue.

Dernier jour, derniers instants, dernières minutes seule avec la petite. Nous sommes postées face au hall d'entrée, le plus grand. Un flot de voyageurs commence à se déverser dans le couloir central où se rejoignent les quais. C'est le train de son père qui vient d'entrer en gare.

Je le vois avant elle, pauvre petite souris perdue au milieu des grandes personnes. Je lui saisis la main et lui indique du bout de mon doigt la direction où regarder pour l'apercevoir.

Elle me lâche instantanément la main et court dans sa direction. Un «Papaaaaa» résonne dans toute la gare, quelques personnes se retournent, un sourire sur les lèvres.

Ces deux-là s'emboîtent alors, comme une ceinture de sécurité dans sa boucle. J'entends le clic de loin. Il ne peut plus rien leur arriver.

Il lui caresse les cheveux, intrigué, et me regarde durement. Il ne s'attendait peut-être pas à la voir comme ça.

Quand il arrive à ma hauteur, il me salue, sans me toucher. Je pensais qu'il m'embrasserait au moins. Mais il marque d'emblée la distance.

— Vous avez fait bon voyage ?

— Ça va. Qu'est-ce que vous avez fait à ses cheveux ?

— Elle a voulu que je lui fasse des tresses, et que nous les défassions pour vous faire la surprise.

— C'est réussi ! J'ai failli ne pas la reconnaître.

— Un shampooing et ça disparaîtra.

— Ça te plaît pas, Papa ?

— Non, pas trop.

Le ton est donné. Ni ouvert, ni souriant, ni joyeux, ni tendre. Il revient égal à lui-même.

Je respire un peu plus mal que tout à l'heure.

Il se contente de parler avec Anna-Nina sur le chemin du retour, en ne m'adressant quasiment pas la parole, et à peine sommes-nous arrivés dans la cour qu'il disparaît avec elle dans la roulotte.

Voilà voilà.

Lundi 28 juin 2010
Du vent dans les pages

– Dis-lui que tu voudrais qu'il reste !

– Ça va pas, non ?

– Tu ne veux pas qu'il reste ?

– Si, évidemment !

– Ben alors. Comment veux-tu qu'il devine !

– Si je lui dis, il va croire que je m'attache à lui...

– Valentine ! Explique-moi comment on peut vouloir vivre avec quelqu'un sans s'attacher à lui. Tu es bien attachée à la petite, non ?

– C'est différent. Tu sais bien que je ne supporte pas d'avoir un homme dans mes pattes. Surtout avec un caractère pareil.

– Alors il va repartir, et il emmènera sa fille.

– Je n'y peux rien.

– Si ! En arrêtant de te dire que tu étoufferas. Quelle idée !

– Et toi ? T'as pas des peurs que tu ne peux pas maîtriser ?

– Non. Je suis un descendant du chevalier Bayard. Moi et mes cent trente kilos de muscles, on n'a peur de rien.

– Allez, Superman, garde des muscles pour me tirer de

la vase froide et nauséabonde dans laquelle je vais plonger quand ils seront partis.

    – «JE - VOUDRAIS - QUE - TU - RESTES!», c'est pourtant simple comme phrase.

    – Ça ne se voit pas sur mon front que je voudrais qu'ils restent?

    – N'est pas livre ouvert qui veut! D'ailleurs ton sale caractère fait du vent dans les pages, on n'a pas le temps de te lire…

Mardi 29 juin 2010
Sans frapper au carreau

Deux jours qu'il me parle à peine, qu'il s'enferme dans la roulotte, qu'il ne partage plus nos repas. Anna-Nina est un peu perdue. Elle a peur de lui faire de la peine si elle passe du temps avec Gustave et moi, et elle regrette de ne plus pouvoir le faire sereinement. Nous profitons des trajets à l'école pour parler. Je lui explique comme je peux la contrariété de son père, du moins ce que j'en comprends. Il n'avait pas prévu tout cela, il se retrouve au pied du mur, il a l'impression que sa fille lui échappe, qu'elle l'aime moins qu'avant, il ne sait pas ce qu'il veut faire de sa vie. De leur vie.

– Mais je l'aime toujours aussi fort, sauf que ce serait plus simple qu'on reste ici !

– Pour toi, mais pas pour lui.

– Il n'aurait plus à réfléchir à où s'arrêter pour que les chevaux aient à manger, ni à trouver un lavomatique pour nos habits, ni une piscine où prendre une douche de temps en temps, ni à comment m'apprendre ci ou ça.

– Il est un peu bousculé. Il a besoin de lenteur ton papa, tu sais ?

– Mais la vie passe trop vite, il faut en profiter, faire plein de choses, sinon, c'est perdu.

– Laisse-lui du temps…

Cette discussion, c'était en rentrant de l'école. En arrivant, Anna-Nina a couru jusqu'à la roulotte qu'il repeignait. Elle a passé deux bonnes heures avec lui, avant de venir prendre sa douche, de dîner avec moi et de se coucher, épuisée par la sortie scolaire au Champ du Feu, à crapahuter dans la forêt à la recherche de toutes sortes de feuilles, écorces, pommes de pin et glands. Elle connaît plus d'essences d'arbres que moi. C'est très impressionnant.

Je ne supporte pas les conflits. Encore moins quand c'est sous mon toit. Même s'il a choisi de ne plus le partager. C'est la même cour, le même lieu-dit et la même gamine prise entre deux feux.

Après ma douche, je vérifie que la petite est bien endormie en enjambant Croquette qui lève à peine une paupière à mon passage.

Tout est calme.

Sauf moi.

Je prends mon courage à deux mains. Dans l'une le besoin d'apaiser les tensions, dans l'autre un désir à assouvir. Je ne sais pas si j'aime cet homme, mais j'aime quand il me fait l'amour. J'ai des amies qui ont un rapport amoureux semestriel et qui s'en contentent largement, alors qu'elles ont un homme sous leur couette, alors que moi, j'aimerais en profiter quotidiennement et je n'en ai pas le loisir.

C'est drôle, j'ai plus peur qu'il me rejette que la première fois. Peut-être parce que je sens cette fois le risque réel que je prends. Je crois qu'il veut repartir d'ici. Je me dis bêtement que c'est peut-être mon cul et mes seins qui le retiendront. De toute façon, s'il me rejette, ce ne sera pas pire entre nous que depuis qu'il est revenu de Paris, alors...

Ma chère Hélène,

Je suis comme le papillon qui s'est posé sur ta pierre rouge et qui est reparti en donnant l'impression de ne pas trop savoir où il allait. C'était toi qui me l'envoyais pour me dire de me laisser porter par le vent, comme lui?

Je me sens mal depuis que je suis revenu. Ça m'a fait un choc de voir Anna-Nina avec ses cheveux bouclés. C'est rien, une broutille, un détail, mais ça m'a transpercé comme une épée. Comme si, le temps de mon absence, elle était devenue une autre. Et puis ce lien entre elles. J'avais vraiment l'impression d'être de trop. Nanie était heureuse de me revoir, elle l'a montré, je l'ai senti. Mais elle semblait si heureuse d'avoir passé ces quelques jours loin de moi. Leur complicité est palpable. Je n'en veux pas à Valentine, même si j'ai l'impression qu'elle me met devant le fait accompli depuis que je suis là. Et qu'elle fait tout pour que je ne parte pas, mais rien pour me donner envie de rester. Sauf l'amour.

Je sens la roulotte qui remue. Je crois que c'est elle. Peut-être pour ça. Tu m'en veux Hélène, de coucher avec une autre femme? Et tu m'en veux d'y prendre du plaisir? Ça m'a tellement manqué, ça fait tant de bien. J'ai du mal à y renoncer. Aucune occasion ne s'était présentée depuis que tu n'es plus là. Jusqu'à ce hameau. J'en étais arrivé à ne plus ressentir le manque. Et elle me l'a à nouveau inoculé comme un mauvais virus.

Je te laisse, elle arrive...

Il ne peut pas ignorer que je suis là, derrière la porte vitrée. Quiconque monte les trois marches fait vaciller la roulotte. Pourtant, il ne s'est pas retourné. Il est en train d'écrire dans un cahier. Je regarde son dos un peu courbé. Il n'est pas bien large mais il a des bras très musclés, à force de tenir les chevaux pour conduire le véhicule. J'ai la main sur la poignée de la porte. Je tremble. Et s'il m'envoie balader ?

Gaël me dirait que je suis débile de tendre le bâton pour me faire battre. Mais certains bâtons se tendent pour d'autres raisons, et j'ai bien envie d'essayer.

Je ne frappe pas pour qu'il vienne m'ouvrir. J'ai conscience qu'il faut un certain toupet pour entrer ainsi dans son chez-lui, mais il sait que je suis là, et il reste immobile. Alors je suppose qu'il attend.

C'est le bruit du loquet, quand je referme la porte derrière moi, qui lui fait poser son stylo et fermer le cahier, en le repoussant sur un côté de la petite table ronde. Il s'est redressé sur sa chaise et regarde dans le vide. La lumière au-dessus du petit évier suffit à peine à éclairer la table, mais elle baigne le minuscule espace d'une lumière moelleuse.

Je m'approche de lui, sans trop savoir comment l'aborder. J'espère avec force qu'il se retournera et qu'il prendra les choses en main. Mais rien. Alors je m'appuie contre la table, en lui faisant face, juste à côté de lui, et je pose ma main sur son épaule.

Il regarde toujours dans le vide, sans aucune réaction à mon geste, tout en continuant de regarder droit devant lui. Je décide de ne rien faire. Je comprends dans les ombres de son visage, dans le tremblement de sa mâchoire, qu'il est sur le point de pleurer. Qu'il y a quelque chose de difficile qui se joue en lui, en ce moment. Son cahier attire un instant son attention, puis il s'en détourne et fixe à nouveau un point derrière la vitre, dans la nuit noire.

Je sens alors sa main sur ma cuisse. Ferme et déterminée.

Quelques instants plus tard, il m'allonge sur sa table. Dans mon dos les miettes de pain de son dîner s'incrustent dans ma peau nue. Je veux plus que des miettes d'amour, je veux un festin, une orgie. Je veux l'ivresse.

Je n'imagine même pas qu'il puisse repartir un jour. L'idée du vide est insoutenable.

Ça fait une heure qu'elle est partie. Je crois que je me suis assoupi. Ça me vide de faire l'amour. Et ça me remplit à la fois. Il y a une sorte d'extase que je ne trouve nulle part ailleurs dans ma vie.

J'ose avec elle des choses que nous ne faisions pas, toi et moi, parce que nous étions jeunes, parce que ça ne s'est pas présenté, parce que nous nous aimions d'amour et que la simplicité nous suffisait pour être heureux. Avec Valentine, c'est différent. L'amour avec elle permet de compenser son caractère. Il faut transcender l'autre pour le supporter. Et puis, je ne réfléchis même pas, elle crie d'envie avec son corps, je ne fais que la suivre.

Je te parle de cela alors que tu étais ma femme. Alors que tu es morte. Serais-tu devenue ma meilleure amie, ma confidente ? Est-ce que je deviens fou, à parler ainsi à un cahier comme s'il était mon guide ?

Ce papillon, après s'être reposé sur ta photo, a fini par s'envoler vers d'autres horizons.

Est-ce ce que je dois faire ? Cesser de m'accrocher à ton fantôme et voler de mes propres ailes pour ne pas m'écraser au sol comme le malabar rose de la gare de l'Est ? Je pensais être à l'agonie, mais je bouge encore, et je me suis relevé. Enfin, je crois. Pour notre fille. Pas le choix. Maintenant, reste à savoir si j'ai encore envie de voler. Je crois que oui. Avec qui, où, comment, pourquoi, je ne sais pas, mais j'ai envie.

C'est aussi toi qui nous as envoyé cet orage terrible ?

Jeudi 1er juillet 2010
À un arrachement près

– Encore?
– Parfois, ça aide à recoller les morceaux.
– Et ça a marché?
– Oui, ce matin, il est venu déjeuner avec nous. Et il m'a presque souri.
– Presque.
– C'est déjà ça. Si tu savais comme c'est bon.
– Qu'il te sourie?
– Qu'il «plus-si-affinités».
– Si tu savais comme je suis triste...
– Que Stéphanie ne te sourie pas?
– Qu'elle n'ait plus aucun «si-affinités».
– Ça reviendra peut-être.
– Balivernes!
– Ouh là, quand tu jures en mots moyenâgeux, c'est que tu es vraiment désespéré.
– Je suis anéanti.
– Gaël, tu ne crois pas que tu accordes un peu trop d'importance à une personne qui n'est pas très respectueuse de tes états d'âme?

– Bien sûr que si. Je n'arrive pas à l'oublier. Nos échanges me manquent, son réconfort me manque, de ne plus la réconforter me manque, de ne plus rire ni la faire rire me manque, de ne pas comprendre son abandon me manque. Tout me manque. Je suis un grand cratère vide après le passage d'une météorite qui est repartie dans sa galaxie en laissant un trou béant derrière elle.

– Eh bien, dans une dizaine d'années, tu seras un beau petit lac naturel où nageront une flopée de poissons et peut-être aussi, avec un peu de chance, des sirènes avec de longs cheveux soyeux et des seins voluptueux.

– Ou une cuvette aride à la terre craquelée.

– Et l'eau de tes larmes, tu la mets où ?

– Sur ton épaule.

– Fichtre, j'avais oublié. Épluche tes carottes et sois patient. Ça passera avec le temps.

– J'ai pas envie qu'elle passe avec le temps.

– Tu peux changer le cours des choses ?

– Non.

– Alors arrête donc d'essayer, et de pleurer de ne pas y arriver. Ce qui est est. Et ce qui n'est pas n'est pas.

– Et ce que je veux, je veux.

– Enfant gâté ! Tes parents ne t'ont pas appris la frustration.

– Pas avec les filles.

– Mais écoutez-le ! Tu ne t'es jamais fait jeter d'autres fois ?

– Si, en seconde, au lycée. C'est comme ça qu'on s'est rencontrés, toi et moi. J'ai connu ton épaule avant de te connaître tout entière.

– Exact ! Elle s'appelait Céline, elle a joué avec toi comme un chat avec une souris blessée. Et tu as bien souffert !

– Oui.

– Et qu'est-ce que tu ressens pour Céline aujourd'hui ?

– Rien du tout ! Évidemment ! C'était il y a longtemps.

– Ah ! CQFD ! Tu pensais que c'était la femme de ta vie à l'époque et les deux seules choses qui t'empêchaient de te foutre en l'air, c'était la profonde souffrance qu'auraient eue tes parents et le fait d'avoir à renoncer à la tarte au fromage de ta grand-mère.

– Mais ce n'était pas la femme de ma vie.

– Là non plus.

– ...

– Ah ! J'ai raison ! Tu vois ? Tu fais tout un foin pour quelqu'un que tu auras oublié dans cinq ans.

– Stéphanie c'est différent.

– Ben tiens ! C'est différent parce qu'elle vient de t'arracher le cœur, mais laisse la plaie béante se refermer et tu verras si c'est encore différent avec elle.

– Tu as peut-être raison.

– Ça t'arrache la mâchoire de le dire, hein ?

– Je ne suis plus à un arrachement près...

Comme un trait d'union

Je range mes affaires dans la roulotte. Je n'ai rien annoncé à Anna-Nina. Je repousse l'instant où il me faudra le faire. Je dois éviter de lui dire au dernier moment, mais j'ai peur de lui fendre le cœur, de ma hache bien aiguisée de sauvage asocial. Je lui dirai que nous partons quelque temps parce que nous avions prévu de voir Martine et Benoît, mes amis, dans les Vosges, et que nous aviserons ensuite. Après tout, pendant les grandes vacances, elle n'a plus l'argument de l'école. Ça me permettra de prendre du recul. Et à elle aussi.

Je crains quand même sa réaction, mais je suis son père et c'est à moi de décider, pas à Valentine qui l'a amadouée avec ses bricolages, ses cahiers d'école, et ses parfums enivrants.

Gustave s'est assis sur le perron de la maison. Trois grandes marches en grès des Vosges, dont la pierre a été creusée par l'usure des pas, toujours au même endroit. Je ne l'ai pas vu souvent fumer, mais la cigarette sur laquelle il tire semble lui apporter un plaisir certain. C'est sa pause de la journée. En cette fin de juin, le jardin lui prend beaucoup d'énergie.

Il tend sa bière devant lui en me faisant signe, d'un clin d'œil, que je pourrais bien venir m'asseoir pour partager ce moment avec lui.

J'aime sa discrétion et sa simplicité. Son analyse de la vie et son recul permanent. Il ne cherche pas les histoires mais n'accepte pas tout non plus. Il sait disparaître avant de se fâcher, pour ne pas s'emporter et faire du mal. Et puis, il est si bienveillant avec Anna-Nina. Il l'appelle « ma princesse ».

Nous échangeons quelques informations météorologiques banales, puis il enchaîne, sans me laisser la possibilité de me dérober :

– Bon... gamin ! J'ai pas l'habitude de parler de ma vie mais je regretterai plus tard de ne pas l'avoir fait avant que tu partes. Tu crois que je n'ai pas vu ton petit jeu ? Tu as la nervosité de celui qui prépare son coup en douce. Je te dis pas de rester. Je te dis de bien réfléchir à ce que tu fais, pour toi, pour la princesse et pour ma Valentine. Oh, je sais bien que vous avez couché ensemble. J'ai pas regardé exprès, mais j'ai vu. Quelques secondes, le temps de comprendre. Il faudrait penser à tirer les rideaux quand il fait nuit et que c'est allumé dans ta roulotte. Valentine, c'est une fille bien. Elle a besoin d'un homme dans sa vie. Elle a juste du mal à l'admettre. Et puis toi aussi, mon gars, t'as besoin d'une femme dans ta vie, même si t'as du mal à l'admettre.

– On peut s'en passer...

– Laisse-moi finir, sinon je vais perdre le fil ! Et dire

que t'as la chance de pouvoir refaire ta vie. Je ne dis pas que t'as de la chance pour ce qui s'est passé. C'est terrible, ça ne devrait jamais arriver, et je ne sais pas ce que j'aurais fait à ta place, mais, même si ta femme te manque affreusement, la chance, c'est de savoir ce qu'elle est devenue. Et surtout, de savoir qu'elle ne reviendra jamais. Alors, tu pourrais peut-être t'autoriser à tourner la page, non ? C'est là que je vais te parler de ma vie, parce que de page qui ne se tourne pas, j'en ai vécu une, qui n'a pas été facile à digérer.

Gustave garde le silence un instant, en triturant la capsule de la bière entre ses doigts, qu'il utilise pour gratter la peau durcie de ses mains calleuses.

– Ma vie, elle a commencé à quatorze ans, et paradoxalement, elle s'est figée le même jour. Parfois, je me dis : « Et si tu n'avais pas pris cette décision ce jour-là, quel aurait été ton destin ? », le genre de question à ne jamais se poser, parce que c'est sans fin, et sans réponse. Donc, en rentrant chez moi, j'ai trouvé une femme sur le trottoir. Une femme en sale état. Et comme c'était devant la Kommandantur, je me suis bien douté qu'elle avait été torturée par les nazis. Je pouvais pas la laisser comme ça. D'autant plus qu'elle avait un ventre aussi gros qu'un ballon de foot. Je l'ai amenée chez moi pour la soigner, dans le grenier, parce que ma mère voyait ça d'un mauvais œil. Ils lui avaient brûlé le ventre à coups de cigarette, avec le petit juste en dessous. Tu imagines ? Des barbares ! Ça, faut l'enseigner aux gosses d'aujourd'hui, parce que des horreurs comme il y en a eu pendant cette guerre, si on l'a pas vécu, je crois qu'on ne peut même pas imaginer. Le lendemain, je l'ai ramenée ici, parce que c'était sa ferme, celle qu'elle avait avec son mari, le Léon. C'est lui qu'ils cherchaient, c'est pour ça qu'ils l'ont torturée. Et elle n'a pas parlé. Elle avait du courage, ma Suzanne. Mais c'était trop risqué de rester à la ferme. Le vieux voisin a dit qu'il s'occuperait des bêtes, mais qu'il fallait qu'elle parte. Alors je l'ai aidée à passer les Vosges, comme je l'avais fait plein de fois avec mon père. Ce salaud. Lui, il faisait passer les juifs pour l'argent, pas pour sauver des vies. Et moi, j'admirais les passeurs qui risquaient leur peau pour sauver celle des autres. C'était ça que je voulais faire. Alors j'ai fait passer Suzanne pour la mettre à l'abri dans une ferme de l'autre côté, en zone occupée, loin, dans la montagne. Oh, ça n'a pas été facile. Au moins, le bébé, dans le ventre, on pouvait pas l'entendre crier, on était silencieux, mais elle a dû marcher dans la neige des heures entières, on a dormi deux nuits dans la forêt, à des températures négatives. On s'est débrouillés. Et puis, on avait la rage de vivre. Elle voulait prouver à Léon qu'elle avait pas résisté pour rien, dans la cave, avec le seau, avec les brûlures. Et moi, j'avais la rage de la sauver, pour compenser ceux qui étaient morts à cause de mon père. On est restés dans cette ferme, avec cette famille, pas causante mais gentille. Je travaillais beaucoup. Suzanne aussi, mais elle ne pouvait plus faire grand-chose avant l'accouchement. Ça a eu lieu un soir d'orage, et ça a été tellement rapide que la fermière a pas eu le temps de venir m'aider. C'est moi, quatorze ans, tu te rends compte, qui ai pris le bébé au moment où il sortait du ventre de Suzanne. C'était une fille. Elle l'a appelée Léonie, pour son père. Ça s'est bien passé, et ça reste un moment magnifique pour moi, même

243

si j'étais pas fier. J'avais jamais vu une femme nue. Après la guerre, quand les Américains sont arrivés, on les a suivis, et on est retournés à la ferme. Il y avait du boulot pour tout relancer. Elle m'a appris les chèvres, le fromage, les bases. Et elle a passé sa vie à attendre que Léon revienne. Aucune nouvelle. Jamais. La dernière fois qu'elle l'avait vu, c'était dans la cour de la Kommandantur, quand il s'était rendu aux Allemands pour qu'ils la libèrent. On a juste su qu'il était parti avec les «malgré-nous». Personne ne sait ce que c'est, en dehors de l'Alsace, tu le sais, toi?

– Non.

– À partir de 1942, les Boches ont enrôlé de force toutes les classes d'âge qu'ils pouvaient, pour les envoyer sur le front russe. Moi, j'étais trop jeune. Mais les plus âgés n'avaient pas le choix. Oh, sûrement que certains n'ont pas dû être forcés trop longtemps, il y a des raclures partout, mais pour la très grande majorité, ils sont partis sous la contrainte. Les jeunes qui refusaient d'y aller ou qui désertaient savaient que c'était toute leur famille qui était envoyée dans des camps de travail. Et quand on savait de quoi étaient capables les nazis, on n'avait pas trop le choix. Tu sais, **des années** après la guerre, au camp d'extermination du **Struthof**, il y avait encore des tas de chaussures, de lunettes, de cheveux. C'était la seule chose qui restait de ceux qui étaient passés par là et qui n'en sont jamais sortis, parce qu'on les a gazés, ou mitraillés, ou incinérés, juste parce qu'ils étaient juifs, tziganes ou handicapés. **Dans** les années 50, les gamins des villages en contrebas y allaient encore. Rien n'était fermé. Les stigmates de l'horreur, comme ça, sous les yeux des gosses. Tout ça, c'est du vécu, alors les jeunes Alsaciens ne pouvaient pas prendre le risque pour leur famille, ils y allaient. Et un grand nombre d'entre eux ne sont jamais revenus. Encore, quand les familles savaient ce qui leur était arrivé, elles pouvaient faire le deuil, mais il y avait tous ceux dont on n'a jamais eu de nouvelles... Suzanne, elle l'a attendu, et moi, je la regardais l'attendre. Elle ne pouvait pas se permettre de l'oublier, de vivre une histoire avec un autre homme sans savoir si le sien reviendrait un jour ou non. Tu sais, c'est comme les marins, tant qu'on n'a pas le corps... Certains sont rentrés des années après la fin de la guerre, sans qu'on comprenne vraiment pourquoi ils avaient mis si longtemps. Alors elle l'a attendu. Et moi, j'ai attendu qu'elle arrête d'attendre. En vain. Je crois qu'on s'est aimés. On se prenait dans les bras, souvent, le soir, devant le feu de cheminée. Et j'avais de l'émoi à le faire, mais ça s'arrêtait là. Ça m'a manqué de ne pas être son mari, le vrai, le légitime. J'étais le gamin qui lui avait sauvé la vie du haut de ses quatorze ans, et on a mis du temps à me voir comme un homme, un vrai. Elle était plus âgée aussi, alors, ça ne se faisait pas. J'étais un peu comme son petit frère. Alors pour coucher ensemble... De toute façon, le premier sexe de femme que j'aie vu dans ma vie, c'était le sien, et c'était avec une tête de bébé de dix centimètres de diamètre en travers. Je crois que ça m'a coupé quelque chose ce jour-là. J'ai bien essayé, l'une ou l'autre fois avec des filles un peu faciles du village, mais c'était pas glorieux. Je revoyais sans cesse cette tête énorme. Alors cet aspect-là ne m'a finalement pas tant manqué que ça. L'accouchement a tout coupé avant que ça bouillonne. Et tu vois, je suis vivant. Je suis peut-être passé à côté de quelque chose, mais j'ai passé ma vie avec la femme que j'aimais.

Elle, je ne sais pas. Je pense que oui. Elle ne m'a jamais vraiment dit. Elle tenait beaucoup à moi, mais elle aimait son Léon. La guerre l'a gâchée, parce qu'elle ne savait pas. Tu comprends maintenant pourquoi je te dis que toi, tu as la chance de savoir ? Pour ta femme, c'est triste, mais t'y peux rien. Tu la feras pas revenir, et il n'y a aucune chance qu'elle revienne, même dans dix ans, alors soit tu passes ta vie avec un fantôme et tu infliges ça à ta fille, soit tu tournes la page, et tu recommences à vivre normalement, avec une famille, de l'amour, à ressentir et à faire, et tout ce qui rend vraiment vivant. Après, je peux pas t'obliger à l'aimer, ma Valentine, elle a son caractère. Mais vous formez quelque chose d'intéressant. Et la petite est un beau trait d'union entre vous deux, comme dans porte-plume, faire-part, rendez-vous, cerf-volant, pause-café, passe-temps, tourne-disque, sous-bois, clair-obscur, cache-cache, perce-neige, porte-bonheur, soleil levant. Les mots réunis par un trait d'union racontent autre chose que pris séparément. Tu vois ?

– Oui.

– Je suis sûr que la petite adorerait se déguiser en trait d'union. Mais c'est ta vie. Je vais pas te dire quoi faire. Juste réfléchir, et oser tourner la page. T'as l'air d'être un type bien, sinon, ta gamine, elle serait pas comme elle est. Personne peut décider à ta place, mais on peut au moins donner notre point de vue. Voilà, c'était le mien, tu en fais ce que tu veux, mais vous serez toujours les bienvenus ici. Vis, bon sang ! Ta fille, elle donne l'impression de vivre pour deux… ça va la fatiguer à force…

Certes…

Vendredi 2 juillet 2010
Pour le meilleur et pour le pire

Je sais qu'il va partir et je ne peux rien dire à la petite. Il a fait semblant toute la soirée, mais il n'était pas à l'aise. Ça se voyait, ça se sentait. Ce n'est pas à moi de l'annoncer à Anna-Nina, et je suppose qu'il repousse le moment de le faire.

Je la regarde jouer dans la cour avec les autres enfants. Quand je pense qu'elle ne sait même pas si elle les reverra après les vacances.

Moi non plus, d'ailleurs.

Gaël n'est pas encore arrivé. Il ne va pas bien en ce moment. Il traîne la patte pour venir, puis pour repartir, il traîne la patte tout court, dans tous les actes de sa vie. Ça m'énerve que cette femme ne lui dise pas à quoi il doit s'en tenir. Elle va me le rendre fou, mon Gaël. Il ne mérite pas ça. Lui qui a le cœur sur la main et la douceur dans l'âme. Je me demande ce qu'il lui a trouvé, à part un peu de complicité, un peu de piment, du champagne et des bulles, à part quelqu'un pour qui compter. Et quand on a compté pour quelqu'un et qu'on ne compte plus pour lui, on fait de mauvais calculs. C'est son cas depuis quelques semaines. Allez secouer cent trente kilos de chagrin, c'est aussi lourd qu'un gros veau séparé de sa mère. J'essaie de le bousculer, de le câliner, de le provoquer, de le faire réfléchir, j'essaie de gonfler mon épaule pour qu'elle le réconforte mieux, mais rien n'y fait.

Et je garde l'autre épaule pour me pleurer dessus, je ne vais pas lui infliger ça, même si je n'ai pas l'impression d'être dans un meilleur état que lui… On forme une sacrée paire de paumés en ce moment.

Mais c'est aussi ça les grandes amitiés. Pour le meilleur et pour le pire. Comme un vieux couple.

Il arrive enfin ! C'est l'heure de rentrer en classe, nous parlerons à la récréation. Il a le sourire aux lèvres, et je sais que ça ne dit rien de bon. Elle lui aura redonné un peu d'espoir alors qu'il faut qu'il l'oublie. Il est comme un gamin sur ces chevaux de bois des manèges, qui montent et qui descendent en tournant en rond. J'aimerais que le manège se déglingue et s'emballe, qu'il en soit éjecté par la force centrifuge, qu'il se fasse mal et n'ait plus envie d'y remonter, ou alors que la machine s'arrête pour qu'il ait le temps d'en descendre, n'y voyant plus d'intérêt.

Pause déjeuner. Comme tous les ans, nous pique-niquons tous ensemble dans un petit verger derrière l'école. Il fait un temps magnifique. Du moins en ce qui concerne l'atmosphère terrestre. Les enfants rient, ils jouent, bougent, s'éloignent un peu, sans franchir les limites que nous leur avons concédées. Ils respirent l'insouciance, et savourent l'instant en même temps que leur sandwich et leur petit paquet de chips. Gaël pique dans le mien en arguant que ça fait trop pour mon estomac. Et puis, pour faire un peu diversion, je crois.

– Elle m'a envoyé un joli message.

– J'en étais sûre, lui dis-je, blasée.

– Cache ta joie !

– Tu sais bien ce que ça cache, justement. Ça cache une nouvelle déception, qui ne saurait tarder. Mais bon, j'ai beau te décrire la situation future, il faut bien que tu la vives pour comprendre. Parfois il faut éprouver la douleur de la brûlure pour ne pas reposer la main sur la braise, le lendemain. Aucune mise en garde n'est aussi efficace qu'une cicatrice sur la peau.

– Tu me mettras des cataplasmes.

– Avant ou après la baffe qui te signifiera « tu vois, je t'avais dit » ?

– Anna-Nina sera là à la rentrée prochaine ?

– Si je savais...

– Il ne t'a rien dit ?

– Rien, mais j'ai un mauvais pressentiment.

– Fais-lui l'amour.

– Ça ne suffira pas.

– Pourtant, te connaissant...

– Et s'ils partent ?

– N'y pense pas.

– Ne pense pas à Stéphanie toi-même !

– C'est où pour arrêter de penser ?

– Je crois qu'il faut lobotomiser...

– C'est un peu radical, me dit-il, déçu.

– Ou regarder des émissions de téléréalité ?

– C'est pire, non ?

– Mais c'est moins irréversible qu'une lobotomie.

– Je n'en suis même pas sûr.

– Tu fais quoi ce week-end?

– Je range mon sac d'école. Geneviève est en déplacement pour un salon.

– Range donc ta vie !

– Et toi?

– Je me pose dans ma chaise longue et je ne fais rien pendant deux jours.

– Même pas cap' !

– Tu es pénible, à trop bien me connaître. Alors je ferai un peu de jardinage…

– Et de la poterie, et du ménage, et tu écriras, tu liras, tu sortiras ta machine à coudre, tu changeras tes meubles de place, parce que ça fait longtemps, tu feras trois lessives parce qu'il fait beau, tu feras la vaisselle des bocaux pour les prochaines conserves, un peu de confiture puisqu'il y a des fraises à ne plus savoir qu'en faire. Et peut-être que tu commenceras à préparer la rentrée de septembre.

– Quand même pas…

– Tu y penseras au moins !

Vendredi soir
Une ombre en couleur

Voilà, je lui ai dit. Elle pleure dans mes bras. Je crois que c'est toute la roulotte qui tressaille avec ses sanglots. Mais elle n'est pas partie en courant. Elle est venue se réfugier au creux de mon épaule. Peut-être parce que je lui ai promis qu'on reviendrait, au moins en visite, et que je voulais simplement prendre le temps de réfléchir.
— Les grands réfléchissent trop.
— Tu sais, ma puce, les adultes ont des responsabilités.
— Moi, je ne veux jamais avoir de responsabilités. C'est trop dur.
— On n'a pas le choix.
— Et pourquoi t'as pas choisi de rester ici, c'est pas difficile, ça, comme choix ?
— Je te l'ai déjà dit. Ce n'est pas si simple. Laisse-moi un peu de temps, et on verra bien, d'accord ?
— J'ai le choix, moi ?
— Non.
— Alors pourquoi tu me demandes si je suis d'accord ?
— Par politesse ?
Elle ne dit rien. Elle se mouche bruyamment, en jetant

les mouchoirs usagés au sol, au fur et à mesure. Elle en a déjà rempli une douzaine. Elle me demande alors si elle peut dormir dans la maison pour la dernière nuit. Comment pourrais-je le lui refuser ? Elle s'est attachée à Valentine comme une fille sans mère s'attache à une image maternelle. Et je vais déchirer l'image. Mais Anna-Nina n'est pas sa fille, et Valentine n'est pas sa mère, elle n'a aucune légitimité pour prendre cette place, si ce n'est de nous avoir ouvert sa porte un soir d'orage. Je n'aurais pas dû rester aussi longtemps. J'aurais dû m'empresser de réparer la roulotte et partir au plus vite, sans laisser ma fille passer par la case école.

Je n'aurais pas dû coucher avec elle. Ça n'est jamais anodin. Quand on a fait l'amour, ne serait-ce qu'une fois, il est difficile de faire comme si de rien n'était. Alors, à trois reprises, ce n'est plus un accident… Et quand bien même ç'aurait été un accident, il y a toujours ce «oui, mais», cette sorte de présence de l'autre désormais dans votre paysage. Cette consommation intime qui fait que celle qui est passée dans votre vie n'en disparaîtra jamais vraiment, parce que son ombre s'est imprimée sur le mur de vos souvenirs. Il y a des ombres de rencontres d'un soir sans importance, des ombres de vingt ans de vie commune, des ombres de passade, mais toujours reste une marque sur le mur, même si on essaie de nettoyer les traces du passé.

Je n'aurais pas dû, mais comme c'était bon.

Une ombre en couleur…

Chuchoter son chagrin

Chuchoter sous la couette avec un enfant est un de ces instants simples qui déposent en douceur un peu de couleur sur la mélancolie. Anna-Nina a attendu que je me glisse dans mes draps pour venir me rejoindre, malgré l'heure tardive de mon coucher, que j'ai repoussé au maximum pour être sûre de tomber de sommeil sans avoir à lutter. Elle se fiche bien de sa fatigue. Il n'y a pas école demain matin, et puis, elle aura amplement le temps de dormir au rythme des chevaux, comme quand elle était bébé.

Et c'est probablement la chaleur du nourrisson contre sa mère que je découvre en la sentant, vêtue d'une chemise de nuit légère qui la couvre à peine.

Nos deux visages sont à quelques centimètres l'un de l'autre et je sens son souffle chaud sur mon nez. Elle respire bruyamment par la bouche, le nez encore un peu bouché par les sanglots de tout à l'heure. Ma petite lampe de chevet laisse deviner des paupières gonflées de peine et rouges de colère. Mais la crise est passée. Elle me sourit simplement.

C'est elle qui chuchote en premier, dans un souffle à peine audible :

— J'ai pas envie de partir.

— Je n'ai pas envie que tu partes non plus.

— Et si on ne revient jamais ?

— Et si tu te disais que tu pars, mais que tu reviendras ?

— Mais moi, j'aimais l'école.

— Ton papa n'a pas dit que tu n'y retournerais pas. C'est les vacances. Tu iras peut-être ailleurs.

— J'ai pas envie d'aller ailleurs.

— Ne pense pas à plus tard, ne pense même pas à demain.

Je lui soutiens ce que j'ai pourtant le plus de mal à faire en ce moment. Ah, nous sommes bien braves, parfois, à donner des conseils aux autres alors qu'on est incapable de se les appliquer : « Fais ce que je dis, pas ce que je fais. Et ne vérifie surtout pas à quel point il est difficile de mettre en pratique ma théorie. »

— Je voulais qu'il tombe amoureux de toi.

— Ça ne se commande pas ces choses-là, tu sais ?

— C'était pourtant pas compliqué.

— C'est peut-être moi qui suis trop compliquée pour lui.

— On pourra s'écrire ?

— Bien sûr ! Ton papa m'a laissé l'adresse de vos amis dans les Vosges. Je t'écrirai, je te le promets.

— Je pourrai écrire à Gaël aussi ?

— Bien sûr. Ça lui fera plaisir. Il t'aime beaucoup.

— Je lui ai déjà préparé quelque chose, je peux te le donner ? Et tu lui donneras ?

– Oui.

Elle a déjà sauté hors du lit et disparaît dans sa chambre. Croquette s'étire en grognant de plaisir, dans un demi-sommeil. J'entends la petite fouiller dans ses affaires, puis le bruit de ses pieds nus revenir sur mon parquet ciré. Elle me tend un dessin magnifique, avec des cœurs, des étoiles, un soleil, des fleurs, et un gros bonhomme qui sourit. Au centre du dessin, un texte. En commençant à le lire, je reconnais un poème que j'ai écrit il y a quelques années, qu'elle a trouvé dans un de mes carnets de la bibliothèque.

Et j'irai dans le soir pleurer toute ma colère, ma rage,
mon désespoir, et le goût de l'amer,
La déception immense et la confiance en peine.
J'irai seule dans le soir pour qu'au petit matin je m'éveille
nouvelle, lavée de mon chagrin.
Le corps débarrassé des morsures et des coups, le regard
certes humide mais ouvert aux possibles,
D'un monde où tout le monde n'est pas vil, fourbe et flou.
Pour qu'au petit matin je regarde ceux qui, de leurs bras
bienveillants, de leur regard aimant,
M'entourent calmement et me couvrent vraiment.
Ces frères, ces amours, ces amis attachants.
Et d'attaches, je ne veux que des liens et des cordes,
solides à toute épreuve, y compris à mes failles,
Pour quand je chuterai, car j'aurai d'autres chutes,
Qu'on m'assure, qu'on me garde de m'écraser au sol.
De sol, je veux celui sur lequel prendre appui,
Me grandir, m'élever, confiante et aguerrie.

J'en ai les larmes aux yeux qu'elle ait choisi celui-ci pour Gaël. Elle a senti, des profondeurs de son innocence d'enfant, l'exactitude de ce qu'il vit, même s'il est le seul à ne pas le voir.

Comment, à son âge, peut-on comprendre un tel poème ? Comment, si petite, peut-elle discerner la complexité des relations humaines ? Elle ne cherche peut-être pas à comprendre. Elle ne fait que ressentir. C'est peut-être notre tort. Vouloir comprendre alors qu'il n'y a pas d'explication. Avoir besoin d'analyser pour digérer, alors que parfois, il suffit de laisser faire le temps.

— Si je reviens dans votre école, c'est avec Gaël que je serai ?

— Oui, tu as le niveau de sa classe.

— Mais je te verrai quand même dans la cour ?

— Évidemment.

— Tu crois que mon papa serait plus facilement d'accord si c'est avec Gaël ?

— Je n'en sais rien.

— Je voulais une maman comme toi, moi.

— Ne pense pas à des choses comme ça.

— J'y peux rien, ça vient tout seul dans ma tête.

— Alors pense à ton papa, quand c'est comme ça. Il fait beaucoup pour toi, tu sais ?

— Je sais. Mais il ne m'apprend pas tout ce que tu m'as appris.

— Moi, je suis sûre que tu reviendras. C'est pas possible autrement.

— Et si je me cachais, tu crois qu'il partirait sans moi ?

— Il serait triste. Et puis, il te manquerait, non ?

– Si.

– Tu veux dormir là, cette nuit ?

– Je peux ?

– Qui pourrait bien nous en empêcher ?

Nous avons cododoté la nuit entière.

Le plein avant un long voyage.

Mon Hélène,

Je crois que j'aurais préféré que tu disparaisses en mer. Au moins, j'aurais pu m'accrocher à l'espoir du radeau, du chalutier qui t'aurait repêchée, de l'île déserte où tu aurais survécu des années avant d'être retrouvée.

J'aurais préféré que Gustave ne me dise pas tout ça. J'aurais préféré qu'il ne mette pas le doigt sur ce qui fait mal.

Mais si je tourne la page avec toi, je fais comment pour écrire un autre prénom que le tien à chaque ligne ? Il a raison, c'est ridicule de t'attendre. Et je sais bien que tu ne reviendras pas. Mais accepter de construire autre chose, c'est accepter de te laisser derrière moi.

J'ai l'impression de marcher à reculons depuis sept ans pour ne pas te perdre. Et je me cogne à force de ne pas voir où je vais. Et je cogne Anna-Nina aux obstacles de ma propre souffrance.

Se retourner. Il faudrait que je sache le faire et que j'accepte l'horizon vide de ta silhouette.

Et dire que j'ai atterri ici parce que je n'avais plus de toit.

Je n'avais plus de toi.

Petite squaw fragile

Anna-Nina est raisonnable dans son chagrin. Elle ne s'accroche pas comme l'enfant de premier jour d'école à sa mère angoissée. Je ne suis pas angoissée, je suis triste, et elle sait que la durée de l'étreinte ne changera ni ma peine, ni la décision de son père. Cette petite a la sagesse de peu d'adultes. Elle ne pleure plus vraiment ce matin. Parce que les jolis chuchotements d'hier soir. Elle monte dans la roulotte, sans se retourner. La poupée en tissu que nous avons faite ensemble sous le bras.

Éric se tient devant moi, le regard vers la ligne de crête des montagnes en face, pour regarder ailleurs que dans mes yeux sans lumière. Il finit par les affronter, et pose sa main autour de mon cou. Fermement. Elle est chaude et puissante. Comme nos étreintes. Puis il m'embrasse longuement le front. Pas la bouche, pas la joue. Le front. Cette zone neutre qui permet à chacun d'y ranger son interprétation du baiser.

Je n'ai pas la force d'interpréter. Ils partent. Alors à quoi bon trouver un sens à ce baiser sur mon front?
Ils partent.

Croquette est assise à côté de nous. Elle balaye le sol en remuant la queue, et gémit un aboiement plaintif. Elle a compris, elle aussi. Elle s'était attachée à la petite. Sur qui va-t-elle veiller la nuit, maintenant ? Le paillasson n'annoncera que du vide sur le parquet de l'étage.

Les chevaux piaffent d'impatience de retrouver la besogne. Des jours qu'ils n'avaient rien tiré. Pour des chevaux de trait, c'est comme un lion sans viande. Ils démarrent sans se faire prier quand Éric débloque le frein et donne une impulsion avec les rênes. La roulotte s'ébranle dans quelques cliquetis grinçants de rouages devenus muets depuis trop longtemps.

Anna-Nina s'est installée sur son lit à l'arrière et me fait signe à travers le petit hublot.

C'est là que je lâche toute l'eau salée que je retenais depuis que j'avais compris qu'ils partaient. Elle grimace pour ne pas pleurer. Et moi je ne peux plus rien maîtriser. Je vois cette petite fille s'éloigner sans savoir si je la reverrai un jour. Je me sens ridicule de ressentir un tel déchirement pour une enfant que je ne connais que depuis trois semaines à peine. Mais le temps a-t-il une importance quand la rencontre est évidente ? On peut savoir au bout de quelques minutes que la personne que l'on vient de croiser comptera dans notre vie. C'est le cas pour cette gamine. Je crois que j'ai su tout de suite, en l'enveloppant dans ma couverture pour que cessent ses frissons, qu'elle m'en provoquerait un bien plus intense qu'une forte fièvre. Je me prépare aux douloureuses courbatures que la séparation va engendrer.

Je suis quand même soulagée qu'un tel véhicule roule si lentement, parce que cela prolonge ce moment où je vois encore Anna-Nina me faire des grands signes de la main, et en même temps je suis pressée qu'ils aient tourné au bout du chemin pour faire taire le cœur qui hurle d'envie de les retenir.

J'épargne au tableau la course ridicule derrière la roulotte, comme l'amoureux transi sur le quai, qui finit toujours par perdre face au train.

Croquette le fait à ma place.

Elle s'est élancée quand ils étaient à vingt mètres, et puis s'est arrêtée, m'a regardée, hésitante. A couru à nouveau, avec moins de certitude. Puis s'est retournée. Dans ses yeux il y avait un « mais qu'est-ce qu'ils font ? Et toi, qu'est-ce que tu fais plantée là ? ». Et puis elle a trotté un long moment. Jusqu'au bout du chemin, je crois, avant de revenir vers moi. Elle a perdu face au train.

Et moi, je me suis écroulée au sol. Elle me lèche le cou, et essaye de me soulever le menton avec sa truffe, mais je suis recroquevillée comme une coquille. Je pleure à l'intérieur.

Ils sont partis.

C'est une poigne ferme qui me relève. Ça doit faire une heure que je suis là, en boule. Croquette a fini par se coucher à côté de moi. Je me retourne sans ouvrir les yeux pour me réfugier dans les bras qui m'ont saisie. C'est Gaël. Je reconnais son moelleux.

Gustave n'a pas voulu venir sur le quai. Trop dur. Il sera parti parler à ses radis et pleurer dans ses salades, et ne réapparaîtra peut-être que demain, quand il n'y aura plus trace de sa peine sur son visage. Je sais qu'il s'est, lui aussi, attaché à la petite. Et je crois bien à son père aussi. Entre hommes. Et puis, l'histoire d'Éric l'a touché, lui qui a connu l'attente et le renoncement.

Je tiens tout juste sur mes jambes. D'avoir dû les couper pour qu'elles ne m'entraînent pas derrière la roulotte, en lançant à mon cerveau résistant des «Ben qu'est-ce que tu fiches?», comme le faisait le chien.

Je fiche qu'il n'y a rien à fiche pour les retenir. Ils sont libres. J'ai dû m'y prendre comme un pied, même si on l'a pris ensemble. Il n'aura pas eu envie de rester. Mais comment je pourrais faire, maintenant, pour qu'il veuille revenir?

– Tu ne crois pas que c'est le bon moment pour aller voir ta thérapeute en psycho-généalo-machin? C'est ta sage-femme qui te tanne pour que tu consultes, depuis un moment, non?

– Si.

– Toi qui attendais un événement pour le faire.

– Ils sont partis, Gaël.

– Je sais.

– Ça fait mal...

– Au cœur!

– Et on se sent...

– Vide!

– Tu crois qu'on guérit?

– Toujours!

— Tu guéris, toi?

— Pas encore. Mais «toujours» ne signifie pas forcément «tout de suite».

— Comment tu as su qu'il fallait que tu viennes?

— C'était écrit dans les nuages, petite squaw fragile! Avec la chaleur de juillet, tes larmes se sont évaporées et ont fait des petits moutons au-dessus de la montagne. J'ai tout de suite su qu'il y avait des gros sanglots à l'origine de tout ça. Ou alors que tu faisais des confitures. J'avais donc de toute façon une bonne raison de venir.

— C'était des larmes.

— Ça ne nous empêche pas de faire aussi de la confiture. C'est le meilleur remède au chagrin!

Des œufs à la neige
et de la crème anglaise

Anna-Nina est assise à côté de moi, sur son petit banc, en hauteur. Elle a mis quelques heures à me rejoindre. Je crois qu'elle a dormi. Elle a la marque des plis du drap sur la joue. Elle me sourit tristement. Je vois sa mère me sourire. De ces sourires spontanés qu'elle distribuait sans compter. Mais il y avait de la joie. Notre petite n'en a pas aujourd'hui. Elle me sourit pour faire bonne figure, mais elle est triste et c'est à cause de moi.

Je vais essayer d'atteindre au plus vite le village de nos amis dans les Vosges. On va passer quelques jours chez eux pour qu'elle ne reste pas trop longtemps seule. Ils ont des enfants de son âge, ça lui fera du bien. Et puis, mes amis m'aideront peut-être à prendre une décision. Pourquoi ne peut-on pas confier ses choix aux autres comme son argent au banquier ? J'aimerais parfois être dépossédé de tout, même de ça, même de ce que je ressens, et surtout de ce que je regrette.

Anna-Nina a glissé sa main dans la mienne et agrippe la lanière en cuir avant de poser sa tête contre moi. Je sais qu'elle ne dira rien aujourd'hui. Elle est capable de parler des heures entières comme de tout ravaler pour traverser la journée en silence. Sans pour autant être fâchée. Elle ne parle pas, c'est tout. J'ai l'habitude. Je dois être pareil. Elle tient forcément de moi, puisqu'elle n'a connu que moi.

Je lui ferai des œufs à la neige avec de la crème anglaise pour le dessert de ce soir. Ça ne suffira pas à la faire parler, mais ça lui fera plaisir.

Quand j'ai pris les chevaux, il y a sept ans, c'était pour apaiser mon bébé qui pleurait toute la journée. Aujourd'hui, c'est moi que les chevaux apaisent. Le rythme lent, le bruit régulier des sabots sur l'asphalte, les deux crinières qui suivent en chœur les mouvements, ces muscles forts qui se dessinent le long de leur silhouette, le bruit des naseaux quand ils soufflent leur effort. Et puis, le mouvement vers l'horizon, la roulotte qui roule.

Mais ce n'est plus comme avant. Plus rien n'occulte ma conscience. Le voile est levé. Il est resté à Solbach. Avant, je n'avais pas besoin de réfléchir. La vie me portait. Elle était ainsi. J'avais choisi un jour et j'étais bien décidé à vivre ce choix sans me poser de questions. Il a suffi d'un orage pour que toutes mes certitudes volent en éclats. Ou que mes doutes se dévoilent au grand jour.

L'Homme pense avoir des certitudes, mais ce ne sont rien d'autre que des doutes qu'il n'entend pas.

Les miens me hurlent dans les oreilles depuis trois semaines, et je fais semblant d'ignorer le bruit assourdissant des certitudes d'Anna-Nina.

Je suis vraiment un mauvais père.

Dans la peau de l'autre

J'y suis. Aller voir un « quelqu'un » pour savoir qui l'on est, et pourquoi. Je n'attends rien, et j'attends tout de ce rendez-vous. Je ne devrais pas, mais comment faire autrement ? Généralement, on consulte quand on n'en peut plus.

— Bonjour, madame Bergeret. On ne se connaît pas encore, n'est-ce pas ?

— Non.

— Qui vous envoie ?

— Sylvie Petitjean. Ma sage-femme.

— Elle vous a expliqué ce que je faisais comme travail ?

— Non. Elle m'a juste dit que ça me ferait du bien, et que j'allais devoir parler de mon enfance.

— Je vais vous dire tout cela.

La femme, d'un certain âge, est d'une élégante simplicité. Ses yeux sont doux, ses cheveux, longs et gris, ses mains, ses vêtements, son cabinet de consultation, ses fauteuils, les cadres aux murs, le canapé sur lequel je me suis installée. Tout est doux. Un cocon réconfortant quand la vie est dure et qu'on vient s'y réfugier.

Elle passe dix bonnes minutes à m'expliquer comment nous réagissons, comment nous nous construisons, ce que nous transmettent les générations antérieures, ce qu'on en fait ensuite, ce mental qui a pris les rênes dans notre petite enfance et qui fonctionne en mode survie parce que c'est comme ça qu'il a appris, c'est comme ça qu'il trouve à nous protéger. Ça me parle, je comprends presque déjà des choses.

– Quelle est votre difficulté ?

– J'aimerais rencontrer un homme, mais je n'arrive pas à m'attacher à quelqu'un.

– Je vais vous aider à comprendre pourquoi.

Et là, elle m'embarque, avec des questions simples, mais pertinentes, dans les profondeurs de mon fonctionnement émotionnel. Je lui réponds au fur et à mesure, avec une évidence déroutante, comme si je savais déjà ce qu'elle est en train de faire sortir au grand jour. Et toujours, toujours revient l'étouffement. Et la peur de mourir. Je ne comprends pas pourquoi j'étouffe ainsi quand j'aime un homme. Elle me dit que c'est trop tôt pour le savoir, mais que ce manque d'air est très fort chez moi, puisqu'il revient, d'où qu'elle parte, quel que soit l'angle. Elle me cuisine depuis vingt minutes, m'ayant tendu un paquet de mouchoirs, tellement je ressens cette peur de mourir dans la solitude et l'étouffement. Elle finit par conclure que s'achève la première étape de notre travail.

– Vous avez quelque chose de très fort qui vous hante et dirige votre comportement. Je vais vous guider, mais c'est vous qui allez essayer de comprendre d'où cela peut vous venir. Car tout ce que vous m'avez dit, ce n'est pas vous. C'est ce sur quoi vous vous êtes construite, mais ce n'est pas vous. L'objectif est de retrouver qui vous êtes et comment vous laisser enfin aller à être heureuse.

Après m'avoir posé quelques questions qui ne semblaient pas appeler de réponse, elle finit par me demander :

– Vous m'avez dit une chose qui ressemble à une certitude pour vous : « On étouffe quand on aime un homme », alors que vous n'avez jamais vraiment eu l'occasion d'en faire l'expérience. Si ce n'est pas vous, qui a pu le vivre ?

Et là, je me sens instantanément submergée par une vague immense. Un chagrin terrible. Une conviction incroyable. Je pense à Suzanne, ma grand-mère, qui a failli mourir noyée dans un seau d'eau parce qu'elle aimait un homme et qu'elle voulait le protéger.

– Ma grand-mère, dis-je d'une toute petite voix. Suzanne, ma grand-mère.

– Votre grand-mère ?

– Oui. Quand elle a été torturée par les nazis qui voulaient retrouver son mari. Ils lui ont plongé la tête dans un seau d'eau pour la faire parler, pour qu'elle le dénonce. Elle ne l'a pas fait. Elle était enceinte de ma maman.

Je me mets à trembler, à chercher mon air, j'ai l'impression de ne plus en avoir assez. Je sanglote sans comprendre pourquoi je suis à ce point chavirée.

– Accueillez ce qui vient là et accordez-vous de le vivre. En pensant à votre grand-mère.

J'ai l'impression d'être Suzanne, à genoux devant les Allemands. C'est Gustave qui m'en a parlé, le lendemain de sa mort. J'ignorais cet épisode de sa vie, elle n'en parlait jamais. Cela dure un moment. J'ai le sentiment d'être seule au monde, de voir tout s'écrouler autour de moi et de ne rien pouvoir retenir. Mais aussi de prendre la main de ma grand-mère entre les miennes pour lui signifier que je comprends, que c'était dur, qu'elle a fait ce qu'elle a pu.

– Ça vous parle ? me demande la femme.

– Oui, beaucoup. Alors, c'est ce qu'elle a ressenti à cette période-là qui m'empêche aujourd'hui d'être heureuse avec un homme et qui me donne l'impression d'étouffer dès que je m'attache ?

– Votre maman était dans son ventre quand c'est arrivé. Elle a pu ressentir cela et en être marquée : «on étouffe d'aimer un homme». Quelle a été la vie de votre maman de ce côté-là ?

– Elle n'a jamais tenu plus de deux ans avec quelqu'un. Elle a soixante-cinq ans et elle vit seule. Elle a quitté mon père au bout de quelques mois après ma naissance. Elle ne supportait pas la vie de couple.

Et en lui expliquant cela, je saisis enfin le lien entre ce qu'a vécu ma grand-mère et ce qui m'arrive. Cet épisode avec les nazis, alors qu'elle était enceinte, a donc inconsciemment imprimé aux générations suivantes de femmes qu'il est dangereux d'aimer un homme. Qu'on peut en mourir.

Je me remets à pleurer. Cette révélation me bouleverse. J'en veux à la guerre, à ce qu'elle nous a infligé, aux conséquences qui ont empêché ma mère de goûter au bonheur dont elle rêvait, qui m'empêchent depuis des années de construire quelque chose avec un homme que je pourrais aimer. Je ressens la peur, la tristesse, la détresse qu'a probablement ressenties ma grand-mère ces jours de torture et le restant de sa vie. Et ma mère qui en souffre et qui ne le sait pas. Je suis en colère. J'ai envie de hurler cette colère au monde entier. Mais personne n'entendrait. Et puis, ça intéresserait qui ? Il n'y a que moi que ça concerne, alors je me le crie intérieurement, et il en jaillit de violents soubresauts qui font déborder des larmes brûlantes.

La femme m'a laissée vivre l'instant. Elle m'a expliqué que c'était important, même si cela semblait déstabilisant et effrayant de se sentir dans la peau d'un autre.

– C'est une prise de conscience qui va vous aider pour la suite.

– Alors, je suis guérie ?

– Vous êtes sur le chemin. Votre mental va vouloir reprendre le dessus, avec ses vieux mécanismes, mais maintenant, vous êtes armée pour lui faire face, parce que vous comprenez pourquoi vous étouffez dès que vous vous attachez à quelqu'un. Et un jour, vous serez en mesure de passer outre et d'affronter vos peurs pour vous rendre compte que non, vous n'êtes pas en danger en aimant. Au contraire.

– J'ai mal à la tête.

– C'est normal. Et c'est bon signe. Vous réparez des choses là-haut, vous mettez de l'ordre dans votre vie. C'est violent, mais efficace.

– Et je peux faire quoi, maintenant, pour que revienne celui à qui j'avais envie de m'attacher ?

– Le lui dire.

– Tout simplement ?

– La vie est simple quand on ne s'encombre pas de peurs et de pensées inutiles et quand on est sincère.

— Vous soignez aussi les hommes ?

— Oui, bien sûr. Vous pensez à quelqu'un ?

— Mon meilleur ami. Il faut juste que j'arrive à le convaincre.

— Il viendra s'il est prêt. Tout le monde ne met pas de l'ordre dans sa vie de la même façon.

— C'est un gros bazar dans la sienne, en ce moment.

— Les adolescents ont des chambres en désordre et pourtant ils retrouvent tout.

— Mais il est perdu.

— Peut-être que si vous allez mieux, il aura envie d'aller mieux lui aussi et de ranger sa chambre.

Un défibrillateur au sommet

– On monte au Donon ?
– Valentine, il est dix-huit heures !
– Et alors ?
– Et alors, le temps de hisser ma lourde carcasse là-haut, il fera nuit en redescendant.
– T'as une frontale, non ? Il faut que je te raconte !
– Ne quitte pas, je vais demander à Geneviève.
– Je cherche ma frontale en attendant.
Je sais que Geneviève sera d'accord. Elle m'apprécie, me fait confiance, et sait qu'elle n'a aucune prise, aucun effet sur l'amitié qui me lie à son mari, et qu'elle n'a pas d'autre choix que d'accepter que parfois nous ayons besoin l'un de l'autre, pour faire face à certaines situations délicates. Elle m'a exprimé un jour sa frustration de ne pas se sentir à la hauteur pour lui venir en aide quand il ne va pas bien. De ne pas être la meilleure amie de son propre mari. Mais on ne peut pas porter toutes les casquettes en même temps. Et puis, Gaël, c'est mon frère. Mon vrai frère de cœur. On a pété sous la même couette au lycée, ça nous faisait marrer. Et ça nous suffisait. On

ne se cachait rien, on ne s'épargnait pas. Et c'est encore le cas aujourd'hui. Mais on peut tout se dire parce qu'on s'aime avec sincérité. Avec une sincérité rare, qui signifie qu'on peut avoir une confiance sans faille et la certitude absolue que l'autre sera toujours là. Ça arrive aussi dans les couples. Mais ce n'est pas le même genre de certitude. Parce qu'il y a les corps, le désir, et que si celui-ci s'épuise un jour, il y a de grandes chances pour qu'il entraîne dans sa chute tout ce qui allait avec. Dans l'amitié, les corps n'ont pas la parole !

— Elle est d'accord. Tu peux me dire pourquoi je cède à toutes tes injonctions ?

— Parce que tu sais que tu n'as pas le choix. Rendez-vous dans une demi-heure au parking de l'église !

— Tu me fatigues.

— Garde ta fatigue pour le sommet.

C'est drôle, j'avais anticipé ce besoin que j'aurais d'aller marcher au Donon après une consultation pareille. J'avais vite fait de mettre mes chaussures de marche, ma lampe torche, une polaire et un sac dans le coffre de ma voiture avant de quitter la maison. Bien m'en a pris.

Là-haut, au temple, nous ressentons cette énergie qui nous étire entre le ciel et la terre, qui nous remet dans l'axe, en harmonie avec nous-mêmes. C'est là qu'on vient quand on a des choses importantes à vivre, à se dire, ou à partager.

Et puis, le soir, il n'y a plus personne. On peut crier à 360 degrés, comme si on voulait asperger de notre rage ou de notre joie toutes les montagnes alentour. Elles sont bien assez grandes pour tout absorber sans vaciller.

Alors que nous !

Gaël est à l'heure.

Comme toujours.

Il possède la rigueur d'une horloge suisse.

Il me fait « coucou » en me voyant arriver.

CQFD.

– Tu ne veux pas me dire pourquoi tu m'emmènes là-haut ?

– Non !

– Et si ça n'en vaut pas la peine ? se permet-il de douter.

– Ça en vaut la peine !

– Tu peux au moins commencer ! On dirait que tu as vu la Vierge !

– Je suis une mécréante, tu sais bien !

– Raison de plus. Ça donnerait une force supplémentaire à l'apparition.

– Je serai à bout de souffle si je te parle en grimpant.

– Ça me laissera une chance de te suivre.

– Si j'arrive avant toi, ça me permettra de préparer le matériel de réanimation. Je t'ai pas dit ? La commune a installé un défibrillateur là-haut, juste pour toi.

– Ha ! Ha ! Très drôle !

– Tais-toi et marche, sinon, on va louper le coucher de soleil.

Gaël a effectivement du mal à me suivre. Son manque d'entraînement, ses kilos en trop qu'il porte comme une combinaison épaisse de maître-chien, pour se protéger des crocs. Il préfère la protection à la fuite, l'ancrage à l'envol, le solide au frêle. Mais si on enlève tout le rembourrage, finalement, il reste l'homme fragile qui a besoin qu'on l'aime pour exister.

Avec Stéphanie, il a enlevé la combinaison, il s'est mis à nu, délicat et sensible, hautement vulnérable. Et si ça finit mal, si ça finit tout court, il repartira sur son chemin en réendossant son vêtement, plus épais encore, pensant se protéger enfin, définitivement. Mais cela ne fera qu'une couche de plus à enlever la prochaine fois. Parce qu'il y aura une prochaine fois. Je le connais comme si, jumeaux, nous avions grandis entrelacés dans les profondeurs d'un même utérus, sirotant le même liquide amniotique. Parce que quand nous nous sommes rencontrés à seize ans, nous nous connaissions déjà depuis toujours. Il suffisait d'un mot pour que l'autre comprenne, d'un regard pour que la bouche se taise. Il suffisait de l'autre pour que l'un soit.

Monter au Donon, c'est ma façon à moi, avant d'arriver en haut, de semer des lambeaux de son rembourrage le long du sentier, et de pouvoir parler à l'homme nu une fois devant le paysage. Donc réceptif. J'aimerais réussir à le secouer comme cette femme douce aux longs cheveux gris m'a secouée délicatement pour que s'ouvrent mes yeux.

Il y a un banc à mi-chemin avec une jolie vue. Je décide de l'attendre là. Il déteste que je marche doucement à ses côtés. Il sait que j'aime quand ça avance, quitte à faire des pauses, et de me freiner met en évidence ses faiblesses. Ce qu'il exècre.

Le problème, quand on attend quelqu'un qui n'avance pas au même rythme, c'est qu'on est tenté de repartir dès qu'il arrive, alors qu'il ne fait qu'arriver. Nous avons donc trouvé une alternative. Il marche d'un pas lent et régulier, sans jamais s'arrêter, mais quand il dépasse mon lieu d'attente, je le laisse prendre de l'avance.

– Bonsoir, madame, me dit-il bêtement en arrivant au banc.

– Monsieur !

– Il fait bon ce soir, n'est-ce pas ?

– Un temps d'été.

– Vous allez voir le coucher de soleil ?

– Non, je vais voir ma vie se lever. C'est l'aube pour moi.

– Vous avez bien de la chance, moi, je pense atteindre le crépuscule. Le soleil décline et l'obscurité s'installe.

– Le soleil des uns éclaire le crépuscule des autres quand ils sont liés d'amitié.

– Alors j'aimerais être aimé de vous.

– Et dire qu'en arrivant au sommet, à bout de souffle, vous allez me détester.

– Mon détestable crépuscule risque-t-il d'éteindre votre aube ?

– Certainement pas ! Le soleil gagne toujours sur l'ombre.

– Alors je pourrai vous détester en toute impunité.

– Toute la nuitée si vous le souhaitez…

– Tu crois qu'on nous entend ? me demande-t-il soudain en regardant autour de lui.

Petit joueur !

Je le laisse partir devant. J'ai fermé les yeux et basculé ma tête très légèrement en arrière, pour offrir aux derniers rayons de soleil du jour la plus grande partie possible de mon visage, et les laisser réchauffer ma peau. Tant pis pour le mélanome, j'ai besoin de chaleur, de douceur, de lumière, et qu'on me caresse délicatement. Il n'y a bien que le soleil pour m'offrir cela en ce moment. Bon, je suis de mauvaise foi. Gaël est tendre avec moi. Mais ce n'est pas pareil. Notre amitié n'est pas sensuelle. Elle est douce, mais pas sensuelle.

J'attends de ne plus l'apercevoir pour reprendre l'ascension.

Je marche d'un pas rapide. J'aime être essoufflée. Je n'ai jamais supporté la marche lente. En y réfléchissant, c'est peut-être ce qui pose problème à Éric. Sa lenteur étouffée par mon dynamisme sans répit le vidait de son énergie. Peut-être devrais-je apprendre à modérer mon rythme. Je décide de commencer dès à présent, et je lutte pour que mes jambes obéissent à ma volonté de ralentir. Je bous à l'intérieur, mais j'y arrive. Évidemment que j'y arrive. On peut décider de marcher doucement. La difficulté n'est pas dans l'acte, elle est dans l'acceptation sereine de celui-ci. Sans bouillir, donc.

J'arrive à la croisée du grand chemin et des marches vers le sentier de pierres. J'aperçois mon ami au bout du premier, juste avant un virage. Il déteste ce dernier escalier, traître pour les cuisses fatiguées. Moi, j'aime quand ça brûle sous la peau.

Nous nous retrouvons quelques instants plus tard à l'antenne relais. Il poursuit sa marche lente. Il me sourit jaune. Je crois qu'il commence à me détester.

Nous ne parlons pas jusqu'au temple. Cette dernière montée est ignoble. On voit le monument, le gros rocher qui le précède, on se dit arrivé, on souffle de soulagement.

Mais il reste cette montée entrecoupée de cailloux énormes qu'il faut gravir en cassant le rythme des muscles.

Car le Donon, ça se mérite.

Nous avons croisé un groupe de marcheurs qui nous ont salués quand nous nous sommes retrouvés à l'antenne, et il ne semble plus y avoir personne sur les lieux.

Tant mieux ! Je n'aime pas partager l'énergie d'ici quand il est question de se ressourcer.

Nous nous asseyons sur les marches du temple, qui regarde comme nous le soleil se coucher.

– Alors ! Dis-moi tout, maintenant qu'on est là ! me somme-t-il, à bout de souffle.

– Je ne peux pas dire que je sois guérie – l'est-on vraiment un jour – mais j'ai compris beaucoup de choses à ma vie, et ça devrait me permettre de l'aborder autrement.

– Chez cette thérapeute dont te parlait la sage-femme ?

– Oui. Tu devrais aller la voir, toi aussi. Je suis sûre que ça te ferait du bien.

– Dis-moi déjà le bien qu'elle t'a fait et on avisera.

– Alors voilà. Elle m'a expliqué qu'en venant au monde, dans notre toute petite enfance, nous étions impactés, comme des météorites sur une planète, par les émotions, les peurs, les peines, les doutes de notre entourage proche. Que nous nous construisions là-dessus, et que cela entraînait des fausses croyances, des comportements particuliers. Une part de nous, qu'elle nomme le « mental », prend très vite les rênes et nous dirige, pensant nous protéger. Par exemple, la profonde déception des parents dont le quatrième enfant est encore une fille, et pas le garçon tant désiré, peut modifier le comportement

277

de cette enfant et la faire fonctionner comme si elle était un garçon. C'est sûrement aussi le cas d'un enfant non désiré, accident de contraception, par exemple, qui peut passer sa vie à demander aux autres de le reconnaître et de l'aimer, pour ne plus jamais se sentir rejeté. Question de survie, tu vois ?

– À peu près. Donc, tout est la faute de nos parents ?

– Mais non ! Justement. Ils ont fait de leur mieux, on ne peut pas leur en vouloir… Eux aussi, ils avaient leurs casseroles à traîner, et nos grands-parents, pareil. Nous sommes tous dans ce cas, et toi aussi !

– On a tous besoin d'être aimés ! Inutile de faire Polytechnique pour comprendre ça.

– C'est plus subtil. On ne souffre pas des mêmes choses et pas de la même façon.

– Et donc ?

– Et donc, de comprendre d'où ça vient permet de mettre des mots sur les maux et de désactiver autant que faire se peut ce putain de mental qui pense nous épargner et qui nous fait souffrir.

– Et dans ton cas ?

– J'ai vécu un moment incroyable. La femme m'a fait chercher tout au fond de moi le malaise, ce que je ressentais quand je m'attachais à un homme. Et puis, j'ai essayé de comprendre d'où pouvait me venir cette sensation d'étouffer et ce besoin de partir en courant dès que l'aventure amoureuse s'intensifiait. Je me suis crue dans la peau de ma grand-mère l'espace d'un instant, quand elle a été torturée par les nazis. C'était très fort, et je me suis sentie transportée. C'était moi, c'était elle. J'avais du mal à respirer.

– En quoi cet épisode a pu impacter ta planète ? Tu n'étais même pas née.

– Oui, mais elle était enceinte de ma mère. Elle a failli mourir étouffée parce qu'elle protégeait un homme qu'elle aimait. Et aujourd'hui, une fausse croyance me dit « on étouffe d'aimer un homme » et me fait déguerpir dès que je commence à ressentir de l'amour.

– Ça saute une génération, comme certaines maladies génétiques ?

– Ça peut. C'est un peu compliqué de t'expliquer en détail. Mais ma mère n'a jamais tenu très longtemps avec quelqu'un. Je crois qu'elle a le même problème que moi. Sauf qu'elle ne le sait pas.

– Et maintenant ?

– Maintenant, j'ai des outils pour taper sur la tête de mon mental dès qu'il me fait croire qu'on étouffe d'aimer un homme et je vais écrire à Éric pour lui demander de revenir.

– Et tu crois que ça va marcher ?

– Si tous les joueurs de loto ne jouaient que quand ils sont sûrs de gagner, la cagnotte serait maigre…

– Et moi ? Tu crois que j'ai rencontré quelle sorte de météorite ?

– Je ne connais pas l'histoire de ta petite enfance, mais en tout cas, t'as un mental qui fait tout pour qu'on t'aime, et qui s'enflamme dès que c'est le cas. Et tu souffres le martyre quand tu as le sentiment qu'on ne t'aime plus, ou qu'on te rejette.

– Tu crois que c'est parce que mon grand-père était roux et qu'il était la risée de l'école quand il était petit ?

– Va consulter si tu veux comprendre. Je te dis juste comment je te vois souffrir, et je te connais assez pour ça.

– Peut-être. Et t'as aussi des outils pour moi ?

– Je t'ai apporté du papier. Je me disais qu'on pourrait chacun écrire notre lettre avant de redescendre.

– Quelle lettre ?

– Une lettre pour dire ce qu'on ressent à la personne qui est partie et qui laisse un cratère derrière elle.

– Pour quoi faire ?

– Juste dire ce qu'on a sur le cœur et tâcher de passer à autre chose, non ?

– Tu veux pas plutôt jouer au loto ?

Alors que le ciel rougit, je sors un bloc-notes et deux crayons à papier. Je lui tends le carnet après en avoir prélevé quelques feuilles que je griffonnerai en prenant mon sac à dos comme sous-main.

Gaël regarde au loin. Il n'est plus avec moi. Je sais qu'il est avec elle. Ses yeux brillent. Je lui prends la main, j'y entrelace mes doigts, et puis je pose ma tête sur son épaule. Le ciel est magnifique. Je me sens apaisée, et j'aimerais tellement qu'il le soit aussi. Il ne mérite pas cette peine qu'il ressent depuis des semaines. Personne ne mérite ça.

Je commence à écrire. Lui reste encore un peu le regard accroché au rose des nuages. Puis il finit par prendre son crayon.

En rédigeant ma lettre, je pense à Anna-Nina, à Éric. J'ai le sentiment de voir cet homme sous un autre angle, peut-être parce qu'il n'est plus dangereux. Je me sens différente, optimiste, toute pleine d'espoir pour l'avenir. J'ai l'impression qu'il y aura un avant et un après la dame aux cheveux gris. Elle m'a mise en garde : «Votre mental va vouloir reprendre le dessus, il est très fort», mais ce soir, il ne me fait pas peur. Je pourrais déplacer des montagnes tellement je me sens légère.

J'écris depuis dix bonnes minutes quand j'entends Gaël commencer à renifler. Je ne le regarde pas. Il a besoin de se sentir protégé dans sa bulle et pas que je vienne la faire éclater avec ma bienveillance à la con. De toute façon, je sais pourquoi il pleure et il n'y a rien à dire.

Quand l'obscurité se fait plus loup que chien, j'allume ma lampe torche et je la pose sur la marche au-dessus de nous, de sorte qu'elle nous éclaire conjointement. Comme c'est long de vider son cœur. Surtout quand on en a gros sur la patate. Chaque ligne écrite est une épluchure de moins sur notre gros légume. Nous redescendrons quand il n'y aura que des chips autour de nous. Et pour une fois, nous les piétinerons plutôt que de les manger.

La nuit est déjà noire quand nous décidons de redescendre. Nous avons chacun la lettre de l'autre dans notre poche, avec l'honneur de la lire et de donner notre avis d'ici demain.

Gaël m'a prise dans ses bras tout là-haut, sur l'immense rocher, au milieu de nulle part, au milieu du vide noir, un peu plus près des étoiles qui nous ont servi de guides pour éplucher nos peines. Il m'a dit merci en enfouissant son nez dans mon cou et en me serrant contre son ventre épais, de ses deux bras enveloppants.

Je crois que c'était notre plus beau câlin.

Le bisou du prince charmant

Nous avons passé la journée dans un parc d'attractions au beau milieu de la forêt vosgienne. Rien à apprendre, rien à comprendre, juste le plaisir de savourer la montée dans les airs, de rire des éclaboussures, de crier dans le grand huit, et de manger une glace sur un banc au soleil. Anna-Nina a semblé heureuse. Elle m'a seulement demandé d'acheter une carte postale pour Valentine. J'ai l'impression qu'elle vit avec le même élastique tendu que quand je l'ai quittée pour me rendre à Paris. Je ne connais pas non plus son point de rupture. Je me dis qu'un enfant est souple. Mais je me trompe peut-être.

Nous avons trouvé un emplacement pour passer la nuit, dans le village d'à côté. Les chevaux sont dans un champ juste derrière nous. J'ai pu faire le plein d'eau au cimetière et les capteurs solaires ont engrangé toute l'énergie du jour. Grand luxe. Nous avons fait des crêpes. Et l'odeur est encore présente dans la roulotte, malgré les fenêtres entrouvertes. Il fait une chaleur lourde et les grillons se font entendre dans les champs alentour.

Anna-Nina s'est endormie quasi instantanément.

La fatigue des attractions, l'estomac chargé de crêpes à la confiture. Je regarde son visage paisible à la lumière lointaine de l'ampoule de la cuisine, que je vais vite aller éteindre pour éviter les moustiques. Mais j'aime la regarder. Comme j'aimais regarder Hélène dormir lorsque nous venions de nous rencontrer.

Pendant le dîner, elle m'a demandé :

– Papa, si un prince charmant nous fait un bisou quand on est morte, on se réveille ?

– Non, bien sûr !

– Alors pourquoi tu veux pas plutôt embrasser une princesse vivante ?

Nous sommes bien dans cette roulotte, dans cette vie calme et sans contrainte. Mais je le sais maintenant, cela ne pourra pas durer. Anna-Nina a besoin d'autres repères. Elle a aussi besoin d'une mère.

Je ne sais pas quoi faire de Valentine. J'aimerais laisser de côté son caractère compliqué, son énergie fatigante, ses exigences sans fin, son rythme de vie frénétique, et cette impression qu'elle fuit dès qu'on s'approche d'elle, qui donne envie de prendre la direction opposée. Ne garder que la douceur de son regard, les soirs autour d'une tisane, sa culture incroyable et ses réflexions souvent en phase avec les miennes, quand il est question de nature et d'éducation des enfants. Et puis son corps.

Je suis allongé sur mon lit et je pense à elle. À ce que nous avons fait là, la dernière fois. À ses jambes qu'elle ouvrait sans retenue, à sa bouche dont elle se servait avec délectation, ses seins toniques et tendus, qui venaient me caresser les cuisses pendant qu'elle s'occupait de mon sexe qui ne demandait qu'elle.

Rien que de penser à ces moments, je sens monter le désir. Elle a su m'inoculer à nouveau le virus du plaisir et le manque me tiraille le ventre.

Mais je ne peux décemment pas y retourner en lui expliquant que je ne viens que pour son corps.

Des filles comme elle, il y en a peut-être d'autres, ailleurs. Et des écoles, il y en a partout. Si ce n'est que ça, je trouverai bien une solution.

Je ferme les yeux, en posant ma main sur le haut durci de mon entrejambe, pour essayer d'en calmer les élans.

L'enfance du matin

– Tu es rayonnante, me lance Gustave en entrant dans la cuisine.

– Je sors du lit, je ne suis pas douchée, ni coiffée, ni maquillée, et tu me dis que je suis rayonnante !

– Je ne te parle pas de la surface. Je te parle de ton fin fond. Tu sais ? L'endroit le plus reculé des gens que les autres ignorent. Moi je le connais, ton fin fond, et il a changé de couleur. J'en suis presque ébloui.

– Tu n'exagères pas un peu, Gustave ?

– À peine.

– Tu crois que si je me concentre bien, ça peut faire office de fusée de détresse pour que les chevaux sachent où revenir ?

– Je crois que ce n'est pas de détresse qu'il doit s'agir entre vous.

– Des tresses pour la petite au moins ?

– À la rigueur.

Gustave vient prendre ma tête entre ses mains et la secoue doucement, comme il le fait souvent, pour me signifier qu'il m'aime, y compris dans mes contradictions, dans mes tourments, ou quand je réagis bêtement. Parfois, il émet un «ah là là, sacrée toi» coordonné au mouvement de ses bras. Mais pas aujourd'hui. Le silence a un autre sens.

Puis il se sert un grand café et vient s'asseoir en face de moi. Il coupe une large tranche de pain et y couche une grosse épaisseur de fromage de chèvre, qu'il saupoudre de poivre et de ciboulette cueillie juste avant dans le jardin, encore humide de la rosée de la nuit. Il trempe le tout dans son café au lait et me regarde en me souriant, les cheveux en bataille, comme un gamin de six ans, heureux de l'instant, avant de mordre dedans.

Quand on sait tout ce qu'il laisse derrière lui, on se dit qu'il a compris où était vraiment la vie. Il n'a pas oublié la guerre, la séparation d'avec sa famille, le renoncement à l'amour, la mort de Suzanne, mais il ne laisse rien de tout cela gâcher son quotidien. La vie, elle est dans le plaisir de cette énorme tranche de pain tartinée, aux mélanges improbables, mais qui ravit ses papilles chaque matin depuis des années. Certains étalent sur leur baguette du matin un mélange de rancœur et de regrets, de tristesse ou de colère. Pauvre d'eux. Qu'ils viennent en stage ici. Gustave leur apprendra l'enfance du matin pour leur laisser une chance de ne pas s'endormir trop vieux le soir.

J'attends qu'il soit reparti pour déplier la lettre de Gaël. Je voulais la laisser reposer toute la nuit. Trop fatiguée hier soir, trop dans ma bulle, trop contente de voir mon mental capituler et ne plus oser lever le petit doigt, au moins pour un temps. Trop mal à la tête aussi.

J'aime l'écriture de Gaël. Même au crayon à papier, même à la lumière d'une lampe torche, même après une ascension de montagne, même en reniflant, même quand il décortique ce qu'il a dans les tripes.

Ma chère Stéphanie,

Voilà. Je crois qu'il faut que je t'écrive. Mais je ne sais pas par où commencer. Peut-être par nos débuts magnifiques et cette fin qui me laisse sur ma faim. Tu dis qu'il n'y en a pas, mais s'il y a eu un joli démarrage et une intense période de croisière et que cela s'arrête, c'est bien qu'il y a une fin, non?

Je ne sais pas si c'est de l'ordre du feu d'artifice, ou du lever du jour, du plongeon de dix mètres, ou de l'envol d'une montgolfière. Mais la première fois que je t'ai vue, tu as déplacé mes lignes. Tu avais ce sourire, ce regard bleu, et cette façon parfois de le détourner quand je m'y attardais. Nous devions parler de Raphaël, un pauvre gamin qui souffrait des coups de son père, et tu évoquais son cas avec douceur.

J'ai regardé tes mains écrire des mots durs, «hématomes», «lèvre fendue», «violent avec ses camarades», et elles restaient pourtant gracieuses.

J'ai aperçu le port de ta tête, élégant et fin, et ces petits cheveux qui bouclaient dans ta nuque. Tes clavicules saillantes qui venaient se rejoindre au bord d'un creux subtil et délicat.

J'ai surtout entendu ta voix, un peu cassée, et tes intonations jurassiennes. Ou peut-être vosgiennes. Cette voix qui chantait dans mes osselets et les faisait vibrer. J'en perdais l'équilibre.

Ta silhouette frêle avait la fragilité d'un oiseau tombé du nid qu'on a envie de prendre dans ses mains pour le protéger du froid, des vents violents, et des chats. Et moi, j'avais de grandes mains toutes chaudes qui ne demandaient qu'à s'ouvrir.

Tu as accepté de me laisser ton numéro et tu as pris le mien.

Je n'ai pas compté ensuite le nombre de messages qu'on s'est envoyés, l'intensité de l'attente, la perplexité dans laquelle le silence de l'un laissait l'autre. Je n'ai pas recensé toutes ces fois où je cherchais délicieusement un refuge pour te répondre. Dans le grenier de la maison, au fond de la cour de l'école, dans une allée peu fréquentée du supermarché. Et quand bien même il y avait foule autour de moi, je me sentais protégé dans ma bulle, parce qu'il n'y avait que toi qui comptais à ce moment-là. Je n'ai pas noté les jolies phrases, les rires simples, et la longueur de certaines de nos discussions. Parce qu'il n'y avait pas de place pour le calcul dans notre relation.

Nous avons vite évacué le désir. Du moins avons-nous décidé de le faire. Il n'avait pas sa place. Trop de risques de peine autour de nous et de dégâts collatéraux. Nous refusions cela. Nous voulions nous garder sans perdre notre moitié respective, et nous considérer chacun comme la cerise sur le gâteau de l'autre. Deux cerises accrochées à la même tige.

C'était simple, c'était beau, c'était touchant et ça rendait vivant. Ça me rendait vivant de compter pour toi, et je sentais que c'était réciproque.

Tu semblais heureuse de m'écrire, de me parler, parfois

de me voir, même si ces moments-là étaient douloureux de rareté.

Je crois que je me suis attaché à toi comme un enfant à son doudou.

Et aujourd'hui, j'ai le chagrin du gamin qui l'a perdu.

Parce que tu n'es plus là, Stéphanie. Tu es partie de notre relation sans que je comprenne pourquoi. Tu n'as jamais vraiment parlé de tes émotions. C'est étonnant pour une femme, mais je respectais ta retenue. Après tout, je m'en contentais. Tu me montrais autrement que tu tenais à moi. Du moins je le pensais. Aujourd'hui, j'ai un doute immense qui me ronge le ventre et me désintègre de l'intérieur. Pour une fois, je suis heureux de mes kilos en trop, je me dis qu'ils me laisseront un moment de répit avant de disparaître tout à fait et que le manque de toi mettra beaucoup de temps à me ronger complètement, avec ce minuscule espoir que le processus s'interrompe avant la fin.

Parce que quand on a vécu l'intensité de l'autre, l'intensité de soi, l'intensité d'un nous et qu'on se retrouve face à la politesse et au silence, comme un mur venu s'ériger sans aucun signe avant-coureur, on s'y cogne et, hébété, au pied de celui-ci, on se remet forcément en question, on doute de soi, on doute de tout.

Je me demande si j'ai dit quelque chose de mal, si je t'ai trop donné, ou pas assez, si je me suis trop attaché à toi, ou pas assez, si tu as rencontré quelqu'un d'autre de plus gentil que moi, de plus drôle, de plus élégant, ou si ton mari t'a sommée de fermer la porte de derrière, celle qui donne sur le jardin secret, à cause des courants d'air.

Faisions-nous quelque chose de mal ? Vaste question.

C'est quoi le mal quand on s'attache à quelqu'un ?
L'étouffer ? T'ai-je étouffée ?
Le mettre en danger ? T'ai-je mise en danger ?
Rendre l'autre redevable d'un « toujours » oppressant ?
T'ai-je rendue redevable d'éternité ?
L'obliger à faire des choix ? T'ai-je obligée à faire des choix ?
Je n'ai même plus de réponses tellement elles sont écrasées par l'incompréhension.
Pourquoi ne pas m'expliquer ce qui s'est passé ce jour où tu as décidé qu'il fallait s'éloigner ? Existe-t-il, cet instant qui a soudain fait chavirer la barque de notre amitié ? Ou bien a-t-elle pris l'eau insidieusement, par capillarité, à travers la paroi poreuse de nos différences, ou par les petits trous que l'usure aura creusés dans notre complicité, parce qu'elle était si dense qu'il fallait la percer pour la laisser respirer afin qu'elle ne meure pas ? Elle est morte quand même.
Pourquoi me laisser dans l'attente, dans le vide, dans le rien d'un téléphone qui ne sonne plus par toi, et me laisser supposer un avenir dont l'horizon n'est plus assez grand pour te garder, puisque tu t'éloignes ?
Pourquoi le silence et l'indifférence alors que je te crie qu'ils font mal depuis des semaines et que je préférerais que tu me dises la vérité, ta vérité ? Pourquoi te déguiser encore en cerise alors qu'il ne reste que le noyau ? Et encore... y a-t-il seulement eu un jour un noyau ?
J'en suis là, Stéphanie, j'en suis à me demander si la cerise en était une, pourquoi elle est tombée de mon gâteau, et pourquoi, même en me penchant sous la table, je ne la retrouve pas.

J'en suis à me demander si je n'ai pas été victime d'un mirage, trop assoiffé de ce que tu étais, de ce que j'avais envie que tu sois pour moi.

J'en suis à ne plus savoir où j'en suis.

Ma meilleure amie me dit de revenir vers mes fondamentaux, et de t'oublier. J'essaie. Mais c'est difficile. J'y crois encore. J'ai tellement envie d'y croire encore. Je me dis qu'il est impossible que tu n'aies été qu'un mirage, ou que j'aie pu à ce point gâcher notre relation. Mais à quel moment ?

Dis-moi la vérité, Stéphanie, si tu me respectes vraiment, dis-moi où je dois me situer quand je pense à nous.

Et si le «nous» existe encore.

Je tiens à toi.

Je t'aime fort.

Gaël

Je replie la lettre en séchant mes larmes. Mon ami, mon meilleur ami, mon frère, en est là. Et je ne peux rien faire. Juste tendre mon épaule. Je la sens bien frêle face à un cataclysme pareil. Je ne suis manifestement pas la cerise de son gâteau. J'espère en être la chantilly.

Évidemment que j'en suis la chantilly. Depuis le temps. Et avec ce que nous partageons.

Mais cette femme devait lui apporter autre chose. Cette chose que je n'ai pas, que je n'ai jamais eue, et que je n'aurai jamais.

La brûlure excitante de l'interdit peut-être.

L'ivresse du trouble, sûrement.

Le chagrin du déchirement, pour finir.

La gueule de bois donne parfois un goût amer à la fête.

Et pourtant, on la fait quand même, en se disant qu'on regrettera plus tard.

Il faut au moins que je lui prépare un de mes chocolats chauds maison pour quand il arrivera dans quelques minutes avec les croissants tièdes et la baguette croustillante.

Au moins.

Le lait commence à bouillir quand sa voiture se gare dans la cour. J'éteins le gaz sous la casserole et je verse le chocolat en poudre en tournant vigoureusement mon fouet dans la préparation.

Je me retourne un court instant quand il entre dans la maison, juste le temps d'apercevoir ses paupières boursouflées. On pourrait hésiter entre un urticaire géant localisé autour des yeux et un chagrin nocturne intarissable. J'opte évidemment pour la deuxième hypothèse. Ça me fend le cœur. On souffre des peines de ceux qu'on aime, surtout quand on ne peut rien faire. Mais d'un autre côté, je me dis que c'est un pas vers l'apaisement. C'est mieux dehors que dedans, tout ça. Il a dû pleurer tout le soir et s'endormir sur un dernier hoquet d'épuisement, dans les bras de sa femme, les doigts entrelacés.

— Qu'a dit Geneviève ?

— Rien. Elle me connaît, elle est patiente. Elle m'aime. Elle sait que je l'aime.

— Amen.

— Il n'y a rien d'autre à dire.

— Ça ne t'a pas fait du bien d'écrire ?

— Si.

— Alléluia !

— La messe est dite, de toute façon.

– Qu'en sais-tu ?

– Je le sais. Je n'ai même pas besoin d'envoyer la lettre.

– Bien sûr que si. Il y a un moment où d'être fixé permet de reprendre la marche.

– La marche vers où ?

– Vers toi-même, vers d'autres. Vers demain.

– Et je fais quoi de demain quand il manque des morceaux d'hier ?

– Demain n'a pas besoin d'hier pour être demain. Et Gaël n'a pas besoin de Stéphanie pour être Gaël. À toi d'y mettre autre chose, dans ton demain, surtout si hier était un chemin cabossé.

– Je vais voir ce qu'elle me répond.

– Elle est touchante ta lettre.

– C'est elle qui doit être touchée.

– Si elle ne l'est pas, c'est qu'elle ne te mérite pas.

– La tienne aussi est touchante. S'il ne revient pas avec ça…

– Je n'attends plus rien.

– Menteuse !

– J'essaye de ne pas attendre.

– La nuance est de taille.

– C'est l'intention qui compte.

Le cœur aphone

J'ai dû être vu comme une bâtisse aux murs épais, durant toutes ces années. Une forteresse imprenable, dénuée de la moindre fissure dans laquelle mes amis auraient pu tenter de faire passer un début de réflexion à propos de ma situation. Cela m'effraie après la discussion que je viens d'avoir avec Benoît. J'étais à ce point fermé ?

Ainsi ont-ils toujours considéré que je m'enfonçais dans une impasse, et que j'y entraînais ma fille. Qu'ils ne savaient pas comment ils auraient pu m'en parler sans perdre mon amitié tellement j'étais hermétique à toute discussion sur le sujet. Que je me serais fâché, et qu'ils n'en avaient pas envie. Il a peut-être raison. Je n'écoute pas ce que je n'ai pas envie d'entendre.

Sauf que depuis quelques semaines, je ne sais plus ce que je veux entendre. Alors je me mets à écouter.

Cacophonie.

J'ai l'impression de devenir dingue à l'idée de devoir faire un choix pour la suite de notre vie et que ce soit le mauvais. J'aimerais acheter une place de cinéma, m'installer dans un fauteuil confortable, au fond de la salle, et voir se dérouler les deux films de ma vie, en fonction de la décision que j'aurais prise. Je ne peux pas faire pouf-pouf, ni tirer à la courte paille. Et quand je réfléchis, j'ai des arguments dans les deux options.

Martine me dit d'écouter mon cœur. Il est aphone depuis sept ans.

J'ai évoqué avec Benoît les quelques moments intimes avec Valentine, entre hommes, à la dérobée, en préparant le feu du barbecue. Il me dit d'écouter mon corps.

C'est bien le seul qui parle en ce moment, mon corps.

Il crie, même. Famine.

Mais enfin, on ne prend pas les grandes décisions de vie avec sa bite !

Elle me susurre : « Et pourquoi pas ? »

Au secours !

Alors que je tente de la raisonner, ou de me raisonner moi, Martine s'approche et me tend la lettre qui est arrivée pour nous aujourd'hui. Il y a un kit de bricolage pour Anna-Nina, et une lettre cachetée à son nom. Elle a déjà saisi le tout et file se cacher à l'abri des regards pour l'ouvrir. Elle a bien compris qui était l'expéditeur.

Et pour moi, une enveloppe épaisse, qui suggère une longue lettre.

Je montre moins d'entrain à courir me cacher, mais je me protège quand même, au fond du jardin, assis sur un banc en bois, au milieu des roses trémières.

Bonjour, Éric,

J'ai essayé de te tutoyer il y a quelques jours, mais tu n'as pas semblé décidé à l'accepter. Je réessaye. Tu auras remarqué que je suis déterminée dans la vie. Avec ce que je vais te dire, il serait ridicule de se vouvoyer encore.

Je suis déterminée mais seule et triste. Et plus encore depuis que vous êtes partis. Personne n'avait rien demandé à personne cette nuit d'orage-là, et il a pourtant fait en sorte que tu me demandes l'hospitalité, et que quelques semaines après je te supplie de rester. Je ne t'ai pas supplié ? Ah non, tu as raison. Je suis trop fière pour ça. Trop bête, oui ! Cela dit, je ne suis pas sûre qu'en m'accrochant à ta jambe et en me laissant traîner sur le sol avant que tu ne montes dans la roulotte, tu aurais changé d'avis. Et puis, supplier n'est pas très sain dans une relation. Ça induit un pernicieux rapport de force.

Ainsi, personne n'avait rien demandé à l'orage pour qu'il vienne foutre le bazar dans des vies bien tranquilles et il a pourtant eu le toupet de mettre une étincelle dans nos barils de poudre. Dans le mien en tout cas.

À tel point qu'après votre départ, j'ai franchi un cap dont je me détournais depuis des années. Je savais pourtant que quelques réponses se trouvaient en moi pour comprendre mes peurs et me donner une chance de savourer un peu mieux les relations avec les autres.

Je te passe les détails mais j'ai compris, avec l'aide d'une thérapeute, que si je refusais de m'attacher à un homme, c'est qu'inconsciemment j'avais l'impression que je prenais un risque pour ma vie. Nous avons fait le lien avec ma grand-mère, qui a failli mourir étouffée pendant la guerre, d'avoir protégé l'homme qu'elle aimait.

Ça ne veut pas dire que je sois guérie, ni que je sois devenue facile, relax, patiente et reposante. Dommage, hein ? Mais ça me permet de prendre du recul par rapport aux situations qui se présentent et de faire en sorte de ne plus réagir de la même façon.

Ça me permet aussi de comprendre que ma suractivité n'est qu'un leurre pour combler ma douloureuse solitude, et que celle-ci n'est que le fruit de ma peur d'étouffer à l'idée de laisser une place à quelqu'un dans ma vie.

Si je te raconte tout ça, Éric, c'est bien parce que ce quelqu'un, j'aimerais que ce soit toi.

Ce n'est pas une déclaration d'amour, c'est une invitation au retour. Pour voir si, en mettant nos vies bien à plat, on ne peut pas construire quelque chose ensemble. Et on verra bien si l'amour s'invite à la table des négociations.

Ta fille est un rayon de soleil, et je sais que je n'ai aucune légitimité à m'attacher à elle, mais cela a pourtant été le cas. Elle est vive, intelligente, douce, intéressante. Et d'une grande sensibilité. J'ai du mal à me faire à l'idée qu'elle n'aurait traversé ma vie que quelques jours.

Mais ce n'est pas que pour elle que je t'écris et que j'ai envie que vous reveniez.

J'ai aimé ton corps, et ce que nous en avons fait. Toi aussi, je crois. Et pourquoi ne pourrait-on pas imaginer que ce soit la porte d'entrée à quelque chose de plus élaboré ? Une maison se construit sur des fondations, et pourquoi le sexe n'en serait-il pas une ? À nous de bâtir le reste.

C'est important, pour la santé, de faire l'amour. Tu semblais le nier, mais…

Je ne peux pas t'assurer d'avoir fondamentalement changé et d'être devenue irréprochable en une séance de travail, mais d'avoir compris que je fonctionnais sur un autre mode que ce que je suis me donne envie d'évoluer, de me retrouver, et de vivre enfin ma vie, en essayant de combler tous les besoins qui la constituent.

J'aimerais que vous reveniez.

Même si nous n'officialisons rien. Tu pourrais inscrire Anna-Nina à l'école, avec Gaël. Vous pourriez dormir au fond de la cour, ou plus loin dans le village, ou dans un autre village. Tu pourrais aussi rester dans la roulotte et laisser la petite investir une chambre en dur. J'en aurais même une pour toi, si tu le souhaites. Une autre, ou la mienne.

Tu pourrais taper dans ma réserve de conserves autant que tu veux et te servir de mes outils.

Tu pourrais me dire quand je suis pénible, que je veux faire trop de choses, que je te presse de faire comme moi je veux alors que ça ne te convient pas.

Tu pourrais venir me faire l'amour quand tu en as envie, ou m'inviter sur la table de ta cuisine. Même pas la peine d'enlever les miettes. Sensoriellement, c'était une expérience surprenante.

Tu pourrais me laisser Anna-Nina le temps d'une course, d'un cinéma, ou de quelques jours en solitaire.

Tu pourrais te sentir bien à Solbach et développer une activité pour toi.

Tu pourrais même imaginer que ces années sur les

routes ont été magnifiques et que c'était le bon choix, mais que d'autres perspectives s'ouvrent aujourd'hui sans remettre en question le passé.

Tu pourrais faire confiance à l'orage.

J'essaie de ne pas vous attendre.

J'essaie.

Vous me manquez…

Je t'embrasse.

Partage avec Anna-Nina.

Valentine

Les petits pois

Une bonne semaine est passée depuis que nous avons envoyé nos courriers respectifs, Gaël et moi. Une semaine où je me suis jetée dans le jardinage, les conserves, les confitures, la couture, le ménage, la poterie, l'écriture, la lecture. J'ai même ressorti ma guitare. Et un puzzle. Trois milles pièces. Ça me vide la tête.

J'essaie de ne pas attendre. Comment ne pas le faire ? C'est impossible ! On attend forcément quand on espère. Et ne pas espérer, c'est triste. Vaut-il mieux espérer et être déçu que de ne plus rien attendre ? Je n'ai pas de réponse.

Gaël se morfond, je le sais, je le sens dans ses messages et dans sa voix. Ils sont partis quelques jours dans le Jura, avec Geneviève. Ça leur a fait du bien, à tous les deux. Casser la routine, se retrouver face à l'autre, face à soi, face à la suite. Profiter des plaisirs simples. Un bon restaurant, une balade dans la nature, quelques musées, se prendre la main, même en silence. Partager le temps suspendu, partager la même bulle. Et se prendre dans les bras. Sanctifier le couple et lui redonner du souffle.

Gustave parle souvent d'Anna-Nina. Je crois qu'il a souffert de ne jamais avoir eu d'enfant à lui. Il y avait ma maman, qu'il a cueillie à sa mise au monde et qu'il a élevée comme sa fille. Mais toujours avec ce léger sentiment de retrait, comme un intrus qui a pris la place d'un autre et qui n'aura peut-être pas toujours la légitimité de le faire. Et puis, il y a eu moi, dont il a pris soin comme de sa petite-fille. Il aurait aimé que j'aie des enfants. Parce qu'à chaque nouvelle génération, il se sentait un peu plus légitime. Et puis, depuis la mort de Suzanne, il y a cette certitude que son Léon ne reviendra plus.

Alors il s'est attaché à Anna-Nina. Et à Éric. Je sais qu'il aurait eu envie de le secouer, de le retenir, de l'attacher, de faire fuir les chevaux pour qu'ils ne puissent pas partir. Mais Gustave a appris sa vie entière à être discret, ce n'est pas maintenant qu'il va devenir envahissant.

Ils avaient commencé un carré de potager avec la petite. Je le vois tous les matins qui arrose les plates-bandes. Je suppose qu'il y soigne les légumes comme nulle part ailleurs dans le jardin, pour que, si elle revient, il puisse lire la joie sur son visage. Leur petit carré. Le plus beau de tout le potager. De tout le village même. Parce qu'ils y ont semé des graines enrobées de joie de vivre et d'émerveillement. Deux enfants que seulement soixante-dix-sept ans séparent.

Je suis assise sur le banc, devant la maison, au soleil de cette fin de matinée. J'écosse des petits pois dans une passoire. Les premiers de l'année. Nous nous réjouissons toujours de les cuisiner avec des oignons et quelques lardons, parce qu'ils sont alors délicieux. Je ne résiste pas, quand ils sont un peu plus petits que la moyenne, à les manger crus, parce qu'ils sont encore un peu sucrés. Plaisir d'enfance.

Gustave vient s'asseoir à côté de moi. Il ne dit rien pendant un long moment avant de se décider à me demander comment je vais.

— Je vais.

— Et ton ami ?

— Gaël ? Il essaie d'aller.

— C'est bizarre que vous viviez la même chose au même moment.

— Ce n'est pas la même chose. Nous ne sommes pas dans la même situation.

— Vous attendez tous les deux un signe, une nouvelle, le retour de quelqu'un à qui vous vous êtes liés et qui vous manque.

— Attendre. Attendre encore. Tu en connais un rayon.

— Il ne faut pas attendre. Il faut profiter des choses qu'on a. Pas de celles qu'on espère.

— Et quand ce qu'on a n'est pas suffisant pour se sentir bien ?

— Alors trouver dans ce que tu as de quoi te sentir bien.

— Tu sais bien que ce n'est pas toujours possible.

— Évidemment je sais. Je tâche de te réconforter un peu. Fais confiance. Ce qui doit arriver arrive. Et s'ils ne reviennent pas, c'est que tu avais autre chose à vivre. Regretter ne sert à rien.

— Tu ne regrettes rien, toi ?

— Je regrette tout. Sauf d'avoir aimé ta grand-mère. Pour le reste, j'ai fait comme j'ai pu. Mais on ne maîtrise pas grand-chose dans la vie, tu sais ? Et c'est notre grand tort de croire que c'est possible. Vouloir tout maîtriser, parce que c'est rassurant. Mais il suffit d'un événement particulier et tout peut être chamboulé. Il suffit d'une guerre. Il suffit d'une femme en détresse sur un trottoir.

– Il suffit d'un orage.

– Chaque jour, je me disais que Léon pouvait rentrer le soir même, à l'improviste. Et que ma vie ici ne tenait qu'à un fil. Que, peut-être, j'allais devoir tout recommencer ailleurs, et laisser derrière moi la personne que j'aimais le plus au monde. Parce que c'était comme ça. Alors chaque jour, je profitais de tout ce qui m'arrivait de positif avec elle, en me disant que c'était peut-être le dernier. Je réfléchissais à peine au lendemain. À quoi bon, puisqu'il serait peut-être tout autre ?

– Alors je ne devrais pas réfléchir à demain ?

– Si. Mais sans espérer aucune certitude.

– L'incertitude est inconfortable.

– Oh oui. Mais la vie est une incertitude à elle toute seule. Il n'y a que quand on est mort qu'on est sûr d'être mort. Tant qu'il y a de la vie, il y a de l'imprévu. C'est comme ça, et on n'y peut rien. On peut juste l'accepter.

– C'est si vrai, ce que tu dis, mais si difficile à réaliser.

– Pense à tes petits pois, à ton puzzle, à ton jardin, à ta couture. Une chose après l'autre. Une journée après l'autre. Et si demain ils reviennent, ce sera une journée avec eux et tu savoureras. Mais tu ne seras pas triste si cette journée s'achève sans les avoir vus revenir. Tu vois ?

– Oui, je vois. Tu y arrives, toi ?

– Maintenant oui. Ça n'empêche pas de ressentir le

manque. Mais sûrement moins fort. C'est comme ça. Point barre. Tu ne peux pas changer les gens. À peine te changer toi, alors, hein ?

— J'ai quand même envie qu'ils reviennent.

— Évidemment, moi aussi. Mais l'envie et l'attente sont deux choses différentes. C'est ton ami Gaël qui suit la factrice ? ajoute-t-il en scrutant la route, en contrebas.

Oui, c'est Gaël.

Il se gare dans la cour, alors que je salue la jeune remplaçante qui fait la tournée depuis une semaine. Elle me tend une seule grande lettre. Il y a des fleurs, des papillons, des oiseaux, un cerf-volant, et l'écriture d'Éric.

Je souris à Gaël en agitant l'enveloppe. Il me rend la pareille, en secouant la sienne.

— Tu l'as reçue aujourd'hui aussi ?

— Hier. Mais je n'arrive pas à l'ouvrir. Alors je me suis dis que tu pourrais peut-être le faire à ma place…

— Tu veux que je lise la réponse de Stéphanie ? Et tu veux lire celle d'Éric ?

— Pourquoi pas ? Comme ça, on pourra prendre des pincettes pour ménager l'autre si c'est difficile à entendre. Ou alors Gustave pourrait lire les deux et nous faire un compte rendu.

— Ah non, non, non, rétorque ce dernier en se levant précipitamment, entraînant dans sa fuite Croquette qui a dû elle aussi sentir le piège.

— Bon, d'accord, lui dis-je. Je mets à cuire les petits pois et on s'installe quelque part.

Gaël frétille d'impatience. Il se réjouit de connaître le

contenu de la lettre. Se sent bête de ne pas avoir pu l'ouvrir. Mais il en attend tellement qu'il a peur.

Ne pas attendre. Prendre ce qui vient.

Nous nous sommes assis un peu à distance l'un de l'autre, pour ne pas nous perturber en lisant. Gaël est parti sous l'avancée de toit du hangar, à l'ombre. Je suis restée sur le banc, au soleil.

Il a déjà commencé à lire, après s'être empressé de préciser qu'il y avait un dessin d'Anna-Nina pour moi, mais aussi pour lui.

Quand j'ouvre la lettre qui lui est adressée, je suis surprise de n'y trouver qu'une feuille unique, pliée en quatre, et dont l'écriture ne déborde pas sur le verso. Elle n'aura pas écrit beaucoup.

Je la déplie. Deux mots et son nom. Deux mots.

Je regarde mon cher ami, concentré sur la lecture de ma lettre, et je replonge immédiatement mes yeux sur la feuille. Pour qu'il ait l'impression que j'ai encore beaucoup à lire.

Je trouve le prétexte d'aller remuer les petits pois, pour faire diversion. Je les touille tellement qu'ils n'attacheront pas.

Deux mots.

En ressortant, je le vois qui se dirige vers moi, le sourire aux lèvres.

– Qui commence ? me demande-t-il.

– Toi !

– Bon, t'es assise ?

– Ça se voit, non ?

– Alors voilà. Je vais avoir une nouvelle élève, et non

des moindres. Il t'annonce que tu peux inscrire Anna-Nina dans ma classe l'an prochain.

— Formidable !

— Par contre, ne te réjouis pas trop vite. Il ne précise pas s'il viendra vivre à la ferme, ou s'il ira mettre sa roulotte ailleurs. Il dit juste qu'il réfléchit à tout ça et qu'il a besoin de temps. Il n'exclut pas que vous fassiez des choses quand même, parce que ton corps lui manque. J'ai dû tout lire, hein ?

— Ben tiens !

— Dis donc ! Tu ne m'avais pas tout raconté. Il fait référence à certains détails intéressants.

— Gaël ! Certaines choses sont un peu plus intimes que notre amitié, quand même.

— Bon, bref. Donc, il ne sait pas encore quand il reviendra exactement, si c'est à la mi-août ou fin août, ou encore juste avant la rentrée. Il te dit de ne pas l'attendre, mais qu'ils seront là pour le jour de la rentrée. C'est une magnifique nouvelle, non ?

— Si.

— Bon, à toi, maintenant.

— Viens t'asseoir.

— Pourquoi tu fais cette tête ?

— Parce que je me concentre sur mon épaule.

— Quelle épaule ?

— Celle que je t'avais promise.

— C'est pas une bonne nouvelle ? me demande-t-il, soudain inquiet.

— Ça dépend comment on analyse les choses.

Je me lève alors et m'installe entre ses jambes en le

prenant dans mes bras. Il a posé sa tête contre ma poitrine. Je suppose qu'il entend battre mon cœur, agité par le contexte. Il doit aussi sentir mon parfum. Celui que j'ai depuis des années, et qui doit constituer un repère olfactif pour lui. Des repères, il lui en faudra quelques-uns dans les prochains temps, parce qu'il va perdre les siens. Il ne me demande rien. Il me laisse lui caresser le haut du dos.

Les petits pois vont sûrement brûler, mais je ne peux pas le lâcher, là, maintenant.

On attendra la prochaine récolte pour en manger.

Nous avons cette chance de nous avoir l'un l'autre, de nous comprendre, de nous estimer. Nous sommes capables de partager le pire comme le meilleur.

Gustave a tort. Il y a quand même quelques certitudes dans une vie. Mon indéfectible amitié pour Gaël en est une.

Nous sommes comme deux petits pois rangés dans la même cosse.

Et c'est bon comme le goût de l'enfance insouciante !

Je regrette

Stéphanie

Se retourner sur sa vie, c'est prendre le risque de voir les traces du passé dans le sable de nos souvenirs.

Vivre, vivre vraiment, regarder loin devant, avancer pas à pas, et laisser le temps, le vent, effacer les empreintes derrière soi.

Une réponse sans chaleur, c'est comme un regard qui se pose ailleurs.

Cette sentence n'a pas été prononcée par un moine tibétain, mais par mon grand frère de cœur, Olivier Muhlheim, un jour où j'avais besoin de réconfort. Elle m'a semblé si juste…

Je voulais qu'elle lui revienne.

À chaque roman qui s'achève, mon regard se pose également ailleurs, devant moi, et va vers d'autres personnages, d'autres histoires, d'autres émotions à vivre et à partager, mais jamais la chaleur humaine ne m'abandonne, ni dans mes livres, ni dans ma vie, car cette chaleur du cœur n'est autre que la sève vitale qui nous maintient debout et nous fait grandir.

Fuyez la froideur, réchauffez-vous dans les bras des gens qui vous aiment et vous considèrent, et si vous sentez cette petite flamme au fond de vous, qui rayonne au

travers de vos failles et s'en va réchauffer les autres, souf-
flez dessus pour l'attiser.

Et qu'elle ne s'éteigne jamais.

DU MÊME AUTEUR

Aux Éditions Albin Michel

JUSTE AVANT LE BONHEUR, prix des Maisons de la Presse, 2013.
PARS AVEC LUI, 2014.

Chez d'autres éditeurs

MARIE D'EN HAUT, Éditions Les Nouveaux Auteurs, 2011,
Éditions Pocket, 2012, Coup de cœur des lectrices du prix
Femme actuelle.

www.agnesledig.fr

Composition IGS-CP
Impression CPI Bussière en mai 2016
Éditions Albin Michel
22, rue Huyghens, 75014 Paris
www.albin-michel.fr
ISBN : 978-2-226-32093-3
Nᵒ d'édition : 21970/05 – Nᵒ d'impression : 2023653
Dépôt légal : mars 2016
Imprimé en France